PLEIN GAZ
POUR OSS 117

DU MÊME AUTEUR
AUX ÉDITIONS MICHEL LAFON

1. OSS 117 préfère les rousses
2. OSS 117 ? Ici Paris
3. OSS 117 prend le maquis
4. OSS 117 fidèlement vôtre
5. Strip-tease pour OSS 117
6. Les Espions du Pirée
7. Valse viennoise pour OSS 117
8. Atout cœur à Tokyo
9. OSS 117 à Mexico
10. Les Monstres du Holy Loch
11. OSS 117 au Liban

JEAN BRUCE

PLEIN GAZ POUR OSS 117

103, boulevard Murat — 75016 Paris

OSS 117

Collection dirigée
par Martine BRUCE

CHAPITRE 1

Vilmos Krany s'arrêta au coin de Grant Avenue, regarda une dernière fois derrière lui et s'épongea le front. Cela faisait un quart d'heure qu'il marchait dans la ville chinoise, employant tous les trucs habituels pour dépister une possible filature. Il allait être midi et demi, et une chaleur lourde et humide pesait ce jour-là sur San Francisco.

Vilmos Krany remit son mouchoir dans sa poche et leva la tête pour regarder au-dessus des toits une pile de clochetons aux coins relevés, dressés comme un fer de lance sur le ciel voilé de brume.

Un tramway rouge traversa l'avenue, remontant Sutter Street. Vilmos Krany suivit un moment du regard deux jolies jeunes femmes aux yeux bridés, vêtues de robes chinoises fendues sur le côté, qui traversaient le carrefour. Elles entrèrent un peu plus loin au *Shanghaï Low*. Vilmos Krany traversa lui aussi mais dans l'autre sens, et franchit la porte du *Lamps of China*.

La salle était loin d'être pleine et il trouva sans peine une table relativement isolée. Un garçon d'origine chinoise vint lui présenter le menu et prendre sa commande. Vilmos Krany demanda une salade et un *chop suey*, avec de la bière. Après quoi, il ôta sa veste, la plia sur une chaise voisine, puis desserra le nœud de sa cravate.

Il était nerveux, un peu angoissé. Il savait que le temps orageux en était pour une part responsable, mais de le savoir ne le soulageait en rien. Il alluma une cigarette et laissa son briquet sur la table. C'était un briquet ordinaire, d'un modèle très répandu. Vilmos Krany l'examina pendant un long moment ; puis, après s'être assuré que personne ne l'observait, il prit le briquet, l'essuya soigneusement pour faire disparaître ses empreintes, le reposa.

Cette précaution, qu'il prenait pour la première fois, lui redonna un certain optimisme. Après tout, il ne connaissait Frank que pour l'avoir vu à deux reprises depuis un mois. Il n'avait donc aucune raison de lui faire confiance. Frank pouvait commettre une erreur, se faire épingler par les agents du FBI... Lequel FBI possédait dans ses archives les empreintes digitales de Vilmos Krany. Dans ce fichu métier, il fallait toujours penser à tout ; on n'était jamais trop prudent.

Le garçon apporta la salade, où prévalaient les pousses de soja, et la bière. Vilmos Krany se tamponna le visage avec la serviette. Il était en sueur et sa chemise trempée lui collait aux omoplates.

Frank entra. C'était un homme de taille moyenne, avec un visage quelconque et des cheveux châtain clair, sans le moindre signe particulier. Il était vêtu de gris, chaussé de noir et coiffé d'un chapeau de paille tressée à large ruban, comme en portent tous les Américains pendant la saison chaude.

Il accrocha son chapeau au portemanteau, promena tranquillement un regard neutre sur l'ensemble de la salle, comme s'il cherchait où s'installer, puis vint s'asseoir à côté de Vilmos Krany, à la table voisine.

Il examina un court instant Vilmos Krany, sa figure ronde et rouge et ses cheveux blonds clairsemés, puis il tendit la main vers le menu :

— Permettez ?

— Je vous en prie, répondit Krany.

Frank se plongea dans l'étude du menu, puis il toussota, regarda de nouveau son voisin et reprit :

— Je n'ai pas l'habitude de ce genre de restaurant. Puis-je vous demander conseil ?

Vilmos Krany se sentit soudain apaisé. La phrase que Frank venait de prononcer signifiait que tout allait bien, qu'il allait transmettre les documents à Krany, qui pourrait partir le soir même pour Berlin, comme prévu, via New York.

— Vous pouvez essayer les langoustines frites et le poulet aux amandes, répliqua-t-il. Tout le monde aime ça...

Le garçon approchait. Frank commanda des langoustines frites et du poulet aux amandes, avec du thé glacé. Ils mangèrent en silence. De nouveaux clients étaient arrivés et la salle était maintenant à demi pleine. Frank sortit une cigarette de sa poche et se pencha vers Vilmos Krany.

— Puis-je utiliser votre briquet ? demanda-t-il.

— Certainement, assura le Hongrois.

Frank prit le briquet sur la table de son voisin et alluma sa cigarette. Personne ne se rendit compte qu'un instant plus tard ce n'était plus le même briquet qu'il remit à la même place. Le briquet qui se trouvait maintenant sur la table de Vilmos Krany était en tous points identique à l'autre, que Frank venait d'empocher avec la dextérité d'un prestidigitateur, à cette exception près que des microfilms se trouvaient adroitement dissimulés dans le double fond du logement de la pierre à briquet.

Quelques minutes plus tard, Vilmos Krany alluma lui-même une cigarette et remit le briquet dans sa poche. Puis il demanda l'addition, paya, remit sa veste, salua très civilement son voisin qui paraissait apprécier pleinement le poulet aux amandes, et sortit.

Dehors, c'était encore la fournaise et il n'y avait pas d'ombre dans la rue. Malgré cela, Vilmos Krany décida de regagner à pied la chambre qu'il occupait dans une pension de famille de Geary Street, au-dessus d'Union Square. Il souriait. Dans quelques heures, il s'envolerait à destination de New York et dès le lendemain il serait à Berlin. Tranquille pour longtemps. On lui avait promis que cette mission-là serait la dernière.

Il pensa soudain à Rose Luggett et il ne put retenir un soupir de soulagement. Il n'était pas mécontent de pouvoir mettre dix mille kilomètres entre Rose Luggett et lui. Il commençait à en avoir plein le dos de cette grosse fille blonde et de ses pleurnicheries.

Allongée nue sur la toile de plastique du lit d'examen, les cuisses ouvertes, Rose Luggett regardait avec anxiété le jeune médecin qui venait de l'examiner.

— C'est grave ? questionna-t-elle.

La voix angoissée. Le médecin ôta le doigtier de caoutchouc qu'il venait d'utiliser et le jeta dans une corbeille métallique déjà aux trois quarts pleine de pansements et de cotons sales. Il alla se laver les mains au lavabo qui se trouvait dans un coin de la pièce, puis revint en s'essuyant. Les verres de ses lunettes reflétaient les vitres dépolies de la fenêtre. Il toussota, laissa un instant son regard errer sur les gros seins de la jeune femme, sur les hanches larges, sur le ventre bombé, sur les cuisses fortes, toujours écartées, qui portaient des traces de cellulite.

— Si vous êtes mariée, répondit-il enfin, ce n'est pas grave. Sinon...

Elle comprit instantanément, pâlit et se dressa sur un coude.

— Vous voulez dire que... que je suis enceinte ?

— Exactement.

— Vous êtes sûr ?

— Absolument. Je peux même vous préciser que cela date d'au moins trois mois.

Elle souffla bruyamment, puis se redressa d'un coup de reins, pivota sur les fesses et se retrouva assise sur le bord du lit, les jambes ballantes.

— Oh ! la la ! gémit-elle. Qu'est-ce qui m'arrive !

Les mains sèches, le médecin alla remettre la serviette en place.

— Vous n'êtes pas mariée...

— Non, je ne suis pas mariée. Et c'est un vrai coup dur... Oh ! la la !

— Ce sont des choses qui arrivent quand on ne fait pas suffisamment attention.

Il avait dit cela pour dire quelque chose, mais il cachait mal, soudain, son impatience. D'autres malades l'attendaient et il avait peur des confidences que cette grosse et fausse blonde se préparait, croyait-il, à lui faire.

Rose Luggett se mit debout et s'aperçut que ses jambes tremblaient.

— Il faut m'aider, dit-elle d'une voix mal assurée. Vous devez m'aider... Je ne peux pas garder ça, ce n'est pas possible. Vous le comprenez, n'est-ce pas ?

Le visage juvénile du médecin se durcit.

— Rhabillez-vous et partez, répliqua-t-il sèchement. Je n'ai rien entendu.

Il s'aperçut que la bouche de sa cliente frémissait convulsivement. Il craignit qu'elle ne piquât une crise de nerfs et ajouta d'un ton agacé :

— Je vais appeler l'infirmière. Elle va vous aider...

Il pivota sur ses talons et voulut gagner la

porte, mais Rose Luggett avait bondi et s'accrochait à lui.

— Vous ne pouvez pas me laisser comme ça. Ce n'est pas possible.

Il se retourna, essayant de se dégager, mais elle l'avait pris par le cou et se serrait contre lui, haletante.

— Je ferai ce que vous voudrez. Je paierai ce qu'il faudra, je trouverai l'argent...

Quelqu'un venait de frapper à la porte, mais ni l'un ni l'autre n'avaient entendu. La porte s'ouvrit, poussée par l'infirmière qui ne put retenir un « oh » de stupéfaction en découvrant son patron dans les bras de cette femme nue. Rose Luggett lâcha prise et recula jusqu'au lit. Furieux, le jeune médecin l'insulta.

— Espèce de folle !

Puis, bousculant l'infirmière médusée, il quitta la pièce, claquant la porte derrière lui.

— Qu'est-ce qui s'est passé ? demanda stupidement l'infirmière.

Rose Luggett ne répondit pas. Elle commença de se rhabiller, avec des gestes que l'affolement rendait maladroits. Elle partit dès que cela lui fut possible, sans même se rendre compte que la fermeture de sa robe n'était pas remontée dans le dos et que son slip de dentelle noire et l'élastique de son soutien-gorge étaient ainsi visibles dans l'ouverture.

Dans la rue, des passants se retournèrent pour la regarder. Certains s'arrêtèrent. Une femme assez âgée mais très élégante la saisit par le bras et l'arrêta.

— Excusez-moi, dit-elle, mais votre robe n'est pas fermée...

Rose Luggett laissa l'inconnue remonter la fermeture à glissière et repartit sans dire merci. Elle ne s'était pas recoiffée et les gens continuaient de se retourner, intrigués par son allure et par ses cheveux en désordre.

Elle entra dans un bar et commanda un Martini-vodka, avec beaucoup de vodka. Elle but d'un trait et, d'un geste trivial du pouce, fit comprendre au barman qu'il devait renouveler la consommation.

— Des ennuis ? s'enquit gentiment le garçon.

Elle ne l'entendit pas. Elle réfléchissait, cherchant dans ses souvenirs qui pouvait bien être le responsable. C'était sûrement ce grand type roux dont elle avait fait la connaissance trois mois plus tôt dans un cinéma de Market Street. Il lui avait fait du genou dans le noir et elle avait répondu à ses avances. Le soir même, il l'avait emmenée dans sa voiture sur une plage déserte et ils avaient fait l'amour sur la banquette arrière. Une idiotie. Elle était dans une période dangereuse et elle le savait. Elle avait bien demandé à son partenaire de faire attention, mais il n'en avait pas tenu compte. Et le résultat était là ; elle attendait un gosse que lui avait fabriqué un grand rouquin blagueur dont elle avait oublié jusqu'au prénom, si jamais elle l'avait su, et qu'elle n'avait jamais revu...

C'était vraiment trop bête. Elle but le deuxième verre comme elle avait bu le premier : d'un trait. Puis elle paya et s'en alla.

La sueur coulait sur son visage, dans le creux de sa colonne vertébrale et entre ses seins. De larges cernes humides s'agrandissaient sous ses aisselles. Elle pensait à Vilmos. Si elle ne trouvait personne pour la faire avorter, elle pouvait toujours se faire épouser par Vilmos. Il avait lui-même parlé mariage à deux ou trois reprises et, bien qu'il eût l'air de plaisanter, elle conservait l'impression qu'il y songeait sérieusement.

Cinquante mètres plus loin, elle monta dans un taxi et donna au chauffeur l'adresse de Geary Street.

Vilmos Krany portait sa veste pliée sur son bras lorsqu'il franchit le seuil de la pension. Il s'épongea le visage et la nuque avec son mouchoir déjà trempé de sueur, puis frappa de l'index à la porte du bureau.

— Entrez !

Il entra, referma derrière lui. Elena Sorgensen, la gérante, écroulée dans un fauteuil de rotin, regardait la télévision. Elle avait retroussé sa robe de coton sur ses cuisses et dégrafé son corsage. Ses cheveux blonds collaient à ses tempes.

— Quelle chaleur ! dit-elle d'une voix éteinte. C'est insupportable.

Le Hongrois regarda l'écran. Des cow-boys galopaient derrière un Indien monté sur un cheval blanc.

— C'est formidable, dit encore la gérante.

Sans grande conviction. Vilmos Krany eut un sourire embarrassé. Son regard revint sur la femme, sur les cuisses maigres à demi découvertes, sur le négligé du corsage.

— Je pars ce soir, annonça-t-il. Définitivement.

Une fusillade venait d'éclater sur l'écran et il dut répéter, Elena Sorgensen n'ayant pas entendu.

— Vraiment ? s'étonna-t-elle. Je vous regretterai.

— Je vais vous demander de préparer ma note, enchaîna-t-il. Et puis, je vous avais donné du linge...

— D'accord. Je vous monte ça dans dix minutes. Ça va ?

— Okay, madame Sorgensen.

Les cow-boys et l'Indien disparurent brusquement de l'écran, à l'instant où les premiers allaient rattraper le second. Un gros type au visage réjoui prit leur place et se mit à vanter avec une grande conviction les mérites d'un certain laxatif.

— Pas besoin d'en prendre. Ils nous font bien assez... avec leur publicité, remarqua grossièrement la femme.

Vilmos Krany sortit, referma la porte. Il n'aimait pas les femmes vulgaires et il se demanda pour la centième fois comment il avait pu coucher pendant si longtemps avec Rose Luggett.

Dans l'escalier, il toucha le briquet au fond de sa poche. Ce briquet pas comme les autres qu'il était chargé de convoyer jusqu'à Berlin...

Le taxi s'était arrêté. Rose Luggett fouilla dans son sac à la recherche de monnaie, paya, laissa dix cents de pourboire au chauffeur et descendit. Un Noir superbe, vêtu d'une chemise verte sur un pantalon rose, descendait la rue en sifflotant. Rose le suivit un instant du regard, puis elle entra dans la pension de famille.

Elena Sorgensen sortait à ce moment-là du bureau, portant le linge propre et la note réclamés par Vilmos Krany. Elle reconnut Rose Luggett, car elle l'avait vue souvent ces dernières semaines.

— Vous tombez bien, s'exclama-t-elle avec

un vif soulagement. Vous allez m'éviter de monter deux étages... Avec cette chaleur !

Elle mit d'autorité le linge et la note dans les mains de Rose Luggett.

— C'est pour M. Krany.

— Il est là ?

— Il vient de rentrer. Il prépare ses valises... Vous partez avec lui ?

— Non, répliqua Rose Luggett.

Brusquement inquiète.

— Alors, c'est la grande séparation ?

— Pourquoi ?

— Dame ! Il m'a dit que c'était définitif, qu'il ne reviendrait pas...

Rose Luggett se sentit blêmir et elle frissonna. Elle se rendait compte à la petite lueur qui brillait au fond des prunelles de son interlocutrice que celle-ci guettait ses réactions et qu'elle éprouvait une joie mauvaise à lui faire du mal. Elle s'entendit répondre machinalement :

— Je le rejoindrai plus tard.

Puis elle se lança dans l'escalier et monta très vite, se refusant à croire ce que la logeuse venait de lui apprendre. Elle s'arrêta sur le palier du deuxième étage, essoufflée, le cœur battant à se rompre, inondée de sueur. Elle sonna aussitôt. Des pas se firent entendre dans le studio.

— C'est vous, madame Sorgensen ?

Vilmos Krany ouvrit sans attendre de réponse. Son visage souriant apparut. Il reconnut Rose et perdit son sourire. Son regard fit plusieurs fois la navette entre le paquet de linge et le visage ruisselant de sa maîtresse.

— Qu'est-ce que tu fais là ? dit-il enfin.

— Je venais te voir. Mme Sorgensen m'a demandé de te monter ça.

Elle pouvait à peine parler. Vilmos Krany fronça les sourcils, ennuyé.

— Qu'est-ce qui ne va pas ? questionna-t-il. Tu en fais, une tête ! Tu as l'air d'une folle.

— Laisse-moi entrer.

Elle le bouscula, fit quelques pas dans le studio, découvrit le placard béant, les valises à demi pleines.

— Tu pars en voyage ? questionna-t-elle.

Il vint lui prendre le linge et la note des mains. Il était de plus en plus ennuyé.

— Quelques jours, répondit-il.

— Pourquoi ne m'en as-tu rien dit ?

— Je l'ai appris ce matin. C'est tout à fait imprévu...

— Si tu pars seulement pour quelques jours...

Elle déglutit péniblement et enchaîna :

— Tu n'as pas besoin d'emporter toutes tes affaires, ni de donner congé pour la chambre.

Elle enfouit brusquement son visage dans ses mains et fondit en larmes. Il la prit aux épaules et la poussa vers un fauteuil dans lequel il l'installa.

— Eh bien, d'accord, avoua-t-il. Je retourne à Berlin, je n'ai plus rien à faire ici... Si je ne t'en ai pas parlé, c'est que je voulais éviter de te faire de la peine...

— Salaud !... Tu es un salaud.

— C'est bien possible, admit-il. J'ai horreur des scènes de rupture et je fais toujours ce qu'il faut pour les éviter...

Elle lui montra son visage, lavé de sueur et de larmes.

— Tu avais dit que nous pourrions nous marier, rappela-t-elle d'une voix à peine audible.

Il laissa échapper un rire insultant.

— Nous marier ? Si j'en ai parlé, c'était sûrement une plaisanterie. Je n'ai pas envie de me marier, ni avec toi, ni avec une autre. Merde !

Il était furieux à l'idée qu'elle ait pu s'imaginer pareille chose. La fureur le rendit méchant, et imprudent.

— Tu ne t'es pas regardée !

Elle se leva d'un bond, lui fonça dessus et le gifla. Il laissa tomber le linge qu'il tenait encore afin de parer une seconde gifle. Il réussit à lui saisir les poignets, mais elle lui donna des coups dans les tibias. Il la fit pivoter d'un quart de tour. Elle se baissa et lui mordit la main droite. Il jura effroyablement, dans sa langue natale, et la rejeta avec violence. Elle partit en arrière, culbuta sur une chaise qui se renversa sous elle et se retrouva sur le dos, les cuisses à l'air.

La douleur le rendait fou. Il la poursuivit et la frappa à coups de pied dans les côtes, dans les fesses, dans le ventre, dans les seins, à mesure qu'elle tournait sur elle-même pour essayer de lui échapper. Elle hurla, puis se défendit de nouveau avec l'énergie du désespoir. Elle lui saisit la jambe, l'attira et planta ses dents dans le mollet, à travers le tissu. Il perdit l'équilibre et tomba sur elle. Un instant, paralysée, elle rua pour le repousser, puis voulut encore le mordre. Il l'arrêta d'un coup de poing sur la bouche. Le sang gicla.

Il cessa brusquement de cogner et se redressa péniblement. Elle gémissait, pitoyable, la lèvre fendue, le corsage déchiré, la jupe relevée jusqu'au ventre. Il passa les doigts dans ses cheveux clairsemés et marcha en titubant vers la salle de bains. Il fit couler de l'eau froide dans le lavabo et se baigna longuement le visage.

Lorsqu'il revint dans le studio, Rose Luggett n'était plus là. Il alla refermer la porte restée ouverte, ôta sa chemise trempée de sueur, puis ramassa le linge piétiné et souillé qui jonchait le sol. Sa colère avait disparu. Maintenant, il avait peur... Peur que Rose n'allât porter plainte et qu'il ne soit empêché, à cause de cela, de prendre l'avion.

Rose Luggett pénétra en courant dans le drugstore qui se trouvait au coin de la rue et s'enferma dans la cabine téléphonique. Elle chercha vainement un nickel dans son sac et dut ressortir pour changer un dollar.

— Il y a le feu chez vous ? questionna la caissière.

— C'est pas vos oignons, répliqua Rose Luggett.

Elle retourna dans la cabine, chercha dans l'annuaire le numéro du FBI. Elle se sentait devenir folle de rage. Un désir forcené de vengeance l'animait. Ce sale petit Hongrois allait lui payer ça, et le payer très cher. Elle forma fébrilement le numéro.

— Allô, répondit une voix. FBI écoute...

— Je veux vous dire... Un Hongrois, Vilmos Krany... C'est un espion, un sale espion, j'en suis sûre... Il...

— Un instant, interrompit la voix. N'essayez pas d'aller plus vite que la musique...

À bout de souffle, Rose Luggett respira profondément. Une autre voix, aussi tranquille que la première, sortit de l'écouteur.

— Je vous écoute, ma'ame. Vous pouvez y aller...

Rose Luggett recommença. Quand elle eut terminé, la voix demanda :

— Voulez-vous me donner votre nom et votre adresse, ma'ame ? C'est nécessaire.

Rose Luggett fut sur le point de répondre machinalement. Puis elle se ravisa et raccrocha doucement. Après quoi, soulagée, elle se rendit aux toilettes et entreprit de se refaire une beauté, ce qui n'était vraiment pas superflu.

CHAPITRE

2

William Dobbins, adjoint au directeur régional du FBI à San Francisco, lut rapidement le texte dactylographié de la dénonciation anonyme reçue quelques instants plus tôt par la section des communications. Il appela ensuite le service des archives et demanda s'il existait un dossier au nom de Vilmos Krany. Quelques minutes plus tard, on lui apporta une chemise cartonnée qui contenait une simple note de renseignement classée sans suite.

William Dobbins apprit ainsi que Vilmos Krany était né le 7 juillet 1923 à Budapest, que son domicile légal se trouvait à Berlin, 34 Neue Kantstrasse et qu'il était employé au service des relations extérieures de la Vereinigung Politisher und Ostflüchtlinge, une association de réfugiés du bloc oriental dont le siège était également à Berlin-Ouest.

Vilmos Krany était entré pour la première

fois aux États-Unis cinq semaines plus tôt avec un visa de tourisme valable trois mois et pour un seul voyage. Le but indiqué de son déplacement était de recueillir des fonds au profit de la VPO. Depuis son arrivée, Krany avait attiré l'attention des agents de la police fédérale par de fréquentes rencontres avec des exilés en provenance d'Europe centrale, mais le directeur régional avait estimé que ces rencontres entraient dans le cadre de la mission officiellement confiée au Hongrois par l'organisation qui l'employait et il avait donné l'ordre de ne pas poursuivre.

Un des principes du FBI est de ne jamais inquiéter personne sur une dénonciation anonyme. Mais, dans le cas présent, la personne désignée était un étranger et la sécurité du pays pouvait être en cause. William Dobbins appela Francis Beale, le *field supervisor*[1], et lui remit le dossier avec la recommandation de faire les choses aussi discrètement que cela serait possible.

Francis Beale regagna son bureau et questionna la section des communications afin de savoir quels inspecteurs étaient disponibles pour une affaire urgente. Il fixa son choix sur

1. Contrôleurs chargés de diriger le travail des inspecteurs et qui sont responsables devant le directeur du bureau.

Glenn Gordon, un des plus anciens et des meilleurs agents spéciaux du bureau de San Francisco, et sur Richard Beaumont, un « bleu », qui faisait ses classes avec Gordon.

Glenn Gordon avait quarante-cinq ans. Pas très grand, trapu, un visage buriné, il cultivait une certaine ressemblance avec Humphrey Bogart et se passait volontiers l'ongle du pouce sur la lèvre inférieure pour exprimer divers sentiments. Il s'était fait une solide réputation de chasseur d'hommes en traquant les espions japonais qui opéraient en Californie pendant la Seconde Guerre mondiale et il était encore classé parmi les trois meilleurs tireurs de la région.

Richard Beaumont avait vingt ans de moins que Gordon. C'était un grand gaillard aux cheveux blonds taillés en brosse, au visage poupin, aux yeux clairs, aux muscles d'acier. Diplômé de l'École de droit, il avait envoyé sa candidature au FBI deux ans plus tôt. Il avait maintenant terminé ses dix-huit mois de formation professionnelle et arrivait tout droit du centre d'entraînement de Quantico, en Virginie, où il avait appris toutes les techniques du maintien de l'ordre et des enquêtes criminelles, du tir au pistolet, à la mitraillette, à la carabine et au fusil de chasse, et du combat à mains nues.

Glenn Gordon, ayant lu le dossier Vilmos

Krany, chargea immédiatement Richard Beaumont d'appeler par téléphone toutes les agences de voyages et les bureaux des grandes compagnies de transports aériens et maritimes. Il était quatre heures lorsqu'ils apprirent que Vilmos Krany devait quitter San Francisco par avion le soir même, à destination de Berlin, via New York et Paris.

— Il va sûrement sortir de sa chambre avec ses valises au dernier moment, remarqua Richard Beaumont. Puisque nous avons son adresse de Geary Street, nous pourrions y aller tout de suite. Il doit encore y être.

— Nous y allons, répliqua Gordon, mais seulement pour le surveiller. On nous a demandé d'agir discrètement, fiston... À l'aéroport, nous aurons la possibilité de nous faire passer pour des douaniers...

Ils inscrivirent l'heure sur le registre de mouvement du personnel, le motif de leur départ, et signèrent. Après quoi, ils descendirent au garage central chercher une voiture.

La nuit était tombée. Sur l'aire d'embarquement, les projecteurs éclairaient un DC 6 des American Airlines prêt au départ. Installé dans un des fauteuils de la salle d'attente, Vilmos Krany lisait le *San Francisco Examiner*.

Une jeune femme très élégante, accompagnée d'un garçon de trois ou quatre ans qui mâchait un chewing-gum, vint s'asseoir à côté du Hongrois. Elle ouvrit son sac à main, en sortit une cigarette qu'elle mit entre ses lèvres rouges, continua de fouiller...

— Excusez-moi, dit-elle soudain en se tournant vers Krany, je voudrais du feu, s'il vous plaît.

Vilmos Krany sourit, fit un signe affirmatif, posa son journal et chercha son briquet dans sa poche. Il alluma la cigarette de la jeune femme.

— Merci, dit-elle en rejetant la fumée. Vous allez à New York ?

— Oui.

— Moi aussi.

Le Hongrois remit son briquet dans sa poche.

— Le départ a été retardé d'un quart d'heure, indiqua-t-il. Je me demande bien pourquoi.

Elle fit une moue.

— Ce sont des choses qui arrivent. Un quart d'heure, ce n'est pas grave...

Il la regarda mieux et la trouva remarquablement jolie. Il pensa qu'il aimerait voyager à côté d'elle et il se demandait comment arranger cela lorsque les haut-parleurs se mirent à crachoter.

— On demande M. Vilmos Krany au bureau de la douane, annonça la voix d'une speakerine... On demande M. Vilmos Krany au bureau de la douane... Monsieur Vilmos Krany, voulez-vous vous présenter immédiatement au bureau de la douane, s'il vous plaît.

Le Hongrois avait cessé de respirer. La tête légèrement inclinée de côté, comme s'il attendait une suite à l'annonce, il dit d'une voix soudain enrouée :

— La douane ? Je croyais que ce serait seulement à New York.

— Il n'y a pas de douane pour aller à New York, objecta la jeune femme. Pour venir ici, oui, à cause des plantes[1]...

— Je vais en Europe, ajouta le Hongrois. Le contrôle se fait peut-être ici, au départ.

— C'est possible.

Il se leva, angoissé, regarda la jeune femme et, sur une impulsion, sortit son briquet de sa poche.

— Je vous le laisse. Vous pourriez avoir besoin de feu pendant mon absence. Vous me le rendrez tout à l'heure...

La jeune femme prit le briquet et sourit :

— Merci, dit-elle. Si vous manquiez l'avion je le donnerais au bureau de la compagnie avant de partir. Monsieur Krany, n'est-ce pas ?

1. L'importation des graines et des plantes est interdite en Californie.

— C'est ça, mais je ne manquerai pas l'avion.

Il s'éloigna, sortit de la salle d'attente et s'enquit auprès d'une hôtesse qui passait du chemin à suivre pour atteindre le bureau de la douane.

Glenn Gordon, assis de l'autre côté de la salle en compagnie de Richard Beaumont, dit à celui-ci :

— Suis-le et commence de fouiller ses bagages. Je vous rejoins tout de suite...

Richard Beaumont se leva et partit sur les traces de Vilmos Krany. Glenn Gordon attendit quelques secondes, puis il se leva lui aussi et traversa la salle pour aller s'asseoir à la place que Vilmos Krany venait de quitter. La jeune femme était occupée à nettoyer avec son mouchoir le visage maculé de son fils. Gordon sourit au gamin, puis sortit une cigarette et fit semblant de fouiller toutes ses poches à la recherche d'un moyen d'allumer.

— Excusez-moi, dit-il en s'adressant à la jeune femme. Auriez-vous des allumettes ?

Elle commença par un signe négatif de la tête, puis dut se souvenir du briquet et cessa de frotter son enfant pour ouvrir son sac.

— Oui, répondit-elle. Tenez...

Gordon prit le briquet en remerciant, alluma sa cigarette, puis examina l'objet.

— Ce briquet est à vous ? demanda-t-il d'une voix unie.

Elle le considéra de façon aiguë, fronça les sourcils et répliqua :

— Qu'est-ce que cela peut bien vous faire ?

— Cela peut me faire beaucoup, assura Gordon, toujours impassible.

Il fit sauter le briquet dans sa main gauche, passa l'ongle de son pouce droit sur sa lèvre inférieure puis sortit sa plaque du FBI et la montra discrètement à la jeune femme.

— Inspecteur Glenn Gordon... J'ai vu cet homme vous remettre ce briquet avant de se rendre à la convocation de la douane. Vous allez me suivre au bureau de police, j'ai quelques questions à vous poser.

La jeune femme devint écarlate.

— Mais, protesta-t-elle, je n'ai rien à me reprocher et je dois prendre l'avion dans un instant pour New York... Mon mari m'attend et...

— Cela ne sera pas long, affirma Gordon, et je vous promets que l'avion attendra. Venez... À moins que cela ne vous gêne pas, devant tout ce monde...

Elle eut un regard circulaire sur l'ensemble des voyageurs dont certains commençaient à les observer curieusement puis elle se leva, saisit d'une main son sac de voyage et de l'autre le poignet de l'enfant.

— Allons-y, décida-t-elle.

Ils se rendirent dans les locaux de la police de l'aéroport et Gordon obtint sans difficulté qu'on lui prêtât un bureau. La jeune femme s'appelait Virginia Baldridge et habitait New York où son mari dirigeait une maison de distribution de films pour la télévision. Elle était venue à San Francisco pour voir ses parents. Elle raconta ce qui s'était passé avec Vilmos Krany et Glenn Gordon fut convaincu qu'elle disait la vérité.

— Je garde ce briquet, dit-il. Bien entendu, je vais vous en donner décharge.

Il nota le nom et l'adresse de la jeune femme et le nom et l'adresse de ses parents, puis il fit un reçu du briquet et le lui remit.

— Vous êtes libre, madame Baldridge, et je vous souhaite bon voyage.

— Ce M. Krany est-il un malfaiteur ? demanda-t-elle.

— Je ne peux rien vous dire. Nous nous intéressons à lui, c'est tout.

Il la regarda partir, puis se dirigea lui-même vers le bureau de la douane. Richard Beaumont devait s'impatienter, mais Gordon était convaincu que l'incident du briquet signifiait quelque chose. Bien sûr, il était parfaitement possible que Krany eût laissé ce briquet à la jeune femme simplement par courtoisie, mais

Gordon aurait volontiers parié que l'affaire n'était pas si simple. Il avait vu Krany se troubler à l'appel de son nom et la façon dont il avait tendu le briquet à sa voisine n'était pas naturelle.

Vilmos Krany, impassible, regardait Richard Beaumont et un agent des douanes qui examinaient ses bagages avec un soin minutieux. Gordon referma la porte et consulta sa montre.

— Il faut appeler la boîte, dit-il à son jeune collègue[1]. Fais-le d'à côté.

Richard Beaumont se redressa.

— Qu'est-ce que je dis ?

— La vérité, toujours la vérité.

Le jeune G.man rougit et quitta la pièce. Gordon écrasa le mégot de sa cigarette dans un cendrier, sortit un paquet de sa poche et le tendit vers Krany.

— Cigarette, monsieur Krany ?

Le Hongrois en prit une. Gordon se servit et demanda :

— Vous avez du feu ?

— Non, répliqua le Hongrois, je... j'ai perdu mon briquet.

— Aujourd'hui ?

1. Les agents spéciaux du FBI lorsqu'ils travaillent à l'extérieur sont tenus d'appeler leur bureau toutes les trois heures pour rendre compte et recevoir éventuellement de nouvelles instructions.

— Euh... Non, ces jours derniers.

— Un briquet de valeur ?

— Oh ! non... Un truc ordinaire... Un Ronson chromé à neuf dollars quatre-vingt-quinze.

Glenn Gordon montra soudain le briquet dans le creux de sa main gauche.

— Voilà votre briquet, monsieur Krany. La jeune dame à qui vous l'aviez prêté me l'a remis. Je lui ai donné un reçu... Pourquoi prétendiez-vous l'avoir perdu depuis plusieurs jours, monsieur Krany ?

Le Hongrois devint très pâle. Il resta un moment la bouche ouverte, comme fasciné par le briquet. Ses lèvres se mirent à trembler. Lorsqu'il voulut parler, Glenn Gordon l'arrêta d'un geste de sa main libre.

— Je vous conseille de ne rien dire que vous pourriez regretter ensuite, monsieur Krany.

Il sortit sa plaque du FBI et se présenta :

— Inspecteur Glenn Gordon, du bureau de San Francisco. Je crains que vous ne puissiez prendre l'avion ce soir pour New York, monsieur Krany...

— Mais pourquoi ? bredouilla le Hongrois.

Gordon regarda le briquet et sourit :

— J'espère que les gars du labo vont pouvoir nous le dire très vite, répondit-il. À moins que vous ne préfériez donner le renseignement vous-même. Qu'y a-t-il de si important dans ce briquet, monsieur Krany ?

Le Hongrois ferma un instant les yeux et passa lentement sa main sur son front trempé de sueur.

— Trouvez-le vous-même, répliqua-t-il d'une voix lasse.

Onze heures trente. Glenn Gordon pensa que ses deux enfants devaient être couchés depuis longtemps et que sa femme devait être fatiguée de l'attendre. C'était vraiment un fichu métier et plutôt mal payé, mais l'idée d'en changer ne l'avait jamais effleuré.

Il entra dans le laboratoire du service photographique où se trouvaient déjà William Dobbins, l'adjoint du patron, et Francis Beale, le contrôleur régional, qui encadraient un technicien occupé à régler un microscope sur les microfilms découverts sous la pierre du briquet de Vilmos Krany.

— Voilà, c'est bon, annonça le technicien en se redressant.

William Dobbins se pencha le premier sur l'appareil et resta un bon moment l'œil collé sur le viseur. Il céda ensuite la place à Francis Beale et dit :

— Je crois que nous tenons quelque chose de gros.

Francis Beale prit tout son temps, puis invita du geste Gordon à regarder. L'agrandissement était suffisant pour permettre la lecture du document. C'était la première page d'un rapport marqué « top secret », dont l'en-tête imprimé comportait seulement deux mots : Deer Castle. Gordon lut le texte et comprit que cela concernait des recherches pour la mise au point de filtres efficaces contre certains gaz de combat susceptibles d'être employés par un ennemi éventuel.

— Qu'est-ce que ça veut dire : Deer Castle ? demanda Gordon.

— Je crois que cela désigne un centre de la recherche scientifique, répondit Dobbins.

— Situé dans notre région ?

— Sûrement pas. Nous le saurions.

Il toucha l'épaule du technicien qui attendait un peu en retrait.

— Tu vas me tirer un agrandissement de ces trucs. Un seul, tu entends, et tu me l'apporteras immédiatement.

— Tout de suite, monsieur.

Dobbins, Beale et Gordon quittèrent le laboratoire. Dans le couloir, Dobbins annonça :

— Je vais immédiatement alerter Washington. Prévenez le chiffreur et le radio.

Un peu plus loin, il ajouta pour Gordon :

— Maintenant, c'est à vous de jouer, Glenn.

Il faut faire parler ce type et savoir qui lui a remis ces microfilms et à qui ils étaient destinés...

— Je vais m'en occuper, monsieur.

Gordon les quitta et rejoignit le bureau où Vilmos Krany était gardé à vue.

— On a trouvé ce qu'il y avait dans votre briquet, dit-il.

Sans rien ajouter, il passa dans le bureau voisin et appela son domicile personnel afin de prévenir sa femme qu'il ne rentrerait peut-être pas cette nuit-là. Il venait de raccrocher lorsque Richard Beaumont entra. Gordon l'avait envoyé visiter l'ex-chambre de Krany, dans Geary Street, et questionner la logeuse.

— Il paraît que Krany avait une maîtresse, une grosse blonde qui s'appelle Rose. Elle est venue le voir aujourd'hui, un peu avant deux heures, et ils se sont battus. Paraît qu'elle est redescendue dans un drôle d'état...

— C'est probablement elle qui l'a dénoncé. Sais-tu où elle habite ?

— Non. Tout ce que sait la logeuse, c'est son prénom, Rose, et le fait qu'elle doit travailler comme entraîneuse dans un bar ou dans une boîte de nuit...

— Ça, c'est du travail pour Joe. Débrouille-toi pour le joindre. Joe connaît toutes les filles à cinquante milles à la ronde...

Joe était un informateur rétribué qui connaissait tous les bars et tous les cabarets de San Francisco et des environs. Richard Beaumont acquiesça d'un mouvement de la tête et s'empara du téléphone. Glenn Gordon retourna dans la pièce voisine et regarda Vilmos Krany qui paraissait plutôt mal en point.

— Dites-moi où je peux joindre Rose à cette heure-ci, demanda-t-il.

Krany haussa les épaules mais ne répondit pas.

— Je vous ai posé une question, reprit Gordon.

— Je n'ai pas l'intention de répondre à aucune des questions que vous me poserez, répliqua Krany. Et je veux téléphoner à un avocat...

Glenn Gordon examina le contenu des poches de Krany qui se trouvait étalé sur une table. Il feuilleta le carnet d'adresses mais n'y trouva pas ce qu'il cherchait. Il le rejeta sur la table puis se retourna d'un bloc, face au Hongrois.

— À nous deux ! lança-t-il.

CHAPITRE

3

Deer Castle, vingt-trois heures trente.

Ils étaient tous dans le bureau du boss. C'était une heure inhabituelle pour une réunion de ce genre, mais un message en provenance de Washington était tombé sur le télétype et Bryan Dunn, le chef du laboratoire, était occupé à le déchiffrer dans la pièce voisine.

Cette pièce voisine, qui servait de secrétariat, abritait précisément le télétype et le coffre-fort où l'on rangeait les documents.

Carol Ansell regarda la porte ouverte sur ce qui était habituellement son domaine et haussa la voix pour demander :

— Bryan... C'est bientôt fini ?

— Ouais !

Le ton était irrité et maussade. Carol Ansell fronça les sourcils et fit une moue. C'était une grande fille rousse, remarquablement bien faite, avec de beaux yeux gris vert et une bouche pulpeuse. Elle était vêtue d'un pantalon noir très ajusté et d'un sweater de même couleur, qui collaient à ses formes pleines et sinueuses.

Elle pivota lentement sur elle-même et son regard se posa successivement sur Robina Lacas, David Saker, Igor Volinsky et Karl Biedermann, qui affichaient tous le même air étonné.

— C'est son foie qui le travaille ? insinua David Saker.

David Saker était petit, maigre, noir de poil, un peu débraillé et toujours en mouvement. Il était appuyé des fesses au bureau, surplombant Robina Lacas installée dans un fauteuil.

Robina était également petite, également noire de poil ; mais c'était une fausse maigre, que la nature avait généreusement dotée d'un regard de braise et d'un corps admirable, habillé d'une robe droite très collante, un peu courte et trop décolletée.

Elle se replongea dans la lecture de *Life* sans paraître remarquer que Karl Biedermann, assis de l'autre côté de la pièce sur le coin d'une table qui supportait des instruments de contrôle, profitait sans vergogne du spectacle de ses cuisses largement découvertes.

David Saker, qui jouissait d'un autre point de vue dans le décolleté de la jeune femme, toucha l'épaule de celle-ci et conseilla :

— Tire sur ta jupe, Karl va attraper un coup de sang.

— Penses-tu ! répliqua-t-elle sans bouger.

— Imbécile ! grogna Karl en se relevant.

Il était grand et bâti en force, avec une belle gueule dure de Saxon et une opulente chevelure blonde et ondulée. Il parlait avec un accent allemand très prononcé.

Il rejoignit Igor Volinsky debout près de la fenêtre. Pendant les quelques instants où ils restèrent silencieux, ils entendirent le vent qui hurlait à l'extérieur.

— Quelle tempête ! remarqua Volinsky. Ça ne va pas être drôle pour rentrer.

Il était aussi grand que Biedermann, mais moins large, avec de beaux cheveux blond doré et un collier de barbe qui lui faisait une tête de Christ. Il s'exprimait lentement, en roulant légèrement les *r*.

David Saker se pencha soudain vers Robina Lacas et demanda :

— On couche ensemble, ce soir ?

Elle répondit sans lever les yeux :

— Non.

— Tu es déjà retenue ?

— Qu'est-ce que ça peut te faire ?

David Saker eut un geste évasif.

— Ça peut me faire... Ça peut me faire...

Il renonça brusquement à trouver ce que cela

pouvait bien lui faire, bondit sur ses pieds et se mit à crier :

— Bryan ! Qu'est-ce que tu fous ?

Bryan Dunn apparut dans le cadre de la porte ouverte sur le secrétariat. Il tenait une feuille de papier à la main. Il était de taille moyenne, maigre, avec des cheveux noirs et un visage osseux et tourmenté. Il paraissait ennuyé.

— Qu'est-ce qui ne va pas ? demanda Carol Ansell.

Il pinça les lèvres, lui lança un regard noir et alla s'installer à sa place, derrière le bureau.

— Je ne pars pas, annonça-t-il. Ordre de Washington.

Tous savaient qu'il devait partir le lendemain pour aller porter à Washington le rapport sur les résultats positifs obtenus par l'équipe, et tous l'avaient envié, terriblement, car ils étaient là depuis six mois, complètement isolés du monde extérieur. Robina se leva, sans lâcher la revue qu'elle avait refermée et pivota sur ses talons afin de faire face au bureau et à Bryan Dunn.

— On va envoyer le rapport par la poste ? questionna-t-elle.

— Non, répondit sombrement Bryan Dunn. Quelqu'un va venir le chercher.

— De Washington ? demanda Igor Volinsky.

— Je n'en sais rien et je m'en fous.

Karl Biedermann fit un pas vers le classeur qui se trouvait à droite de la fenêtre, ouvrit un tiroir et en sortit une bouteille de scotch. Il marcha ensuite jusqu'au distributeur d'eau, entre le bureau et la porte du secrétariat, et prit un gobelet de carton. Les bras croisés sous ses seins agressifs, Carol Ansell remarqua d'un ton aigre-doux :

— Je n'aurais jamais imaginé que cela puisse vous faire autant de peine d'être obligé de rester avec nous.

— Sous-entendu : avec MOI ! lança David Saker, qui ponctua d'une pirouette et d'un « whoupie » retentissant.

Carol Ansell lui décocha un regard meurtrier. Bryan Dunn répondit à la jeune femme :

— Fiche-moi la paix.

Karl Biedermann, qui venait de verser du scotch dans le gobelet de carton pris au distributeur, leva le récipient et claironna :

— Bravo ! Voilà enfin le patron qui fait preuve d'autorité.

Bryan Dunn haussa les épaules et soupira. Robina Lacas contourna le bureau et vint poser la main sur l'épaule de son chef.

— Ne faites pas attention, dit-elle. Ils ne savent pas ce qu'ils disent.

Bryan Dunn prit la jolie petite main et la serra un instant contre sa joue.

— C'est bien toi la plus gentille, assura-t-il.

Carol Ansell avait pâli. Elle explosa :

— Parfait ! Nous vous laissons.

Elle tourna les talons et fila vers la porte du couloir qu'elle laissa ouverte, comme si elle avait pensé que Saker, Volinsky et Biedermann la suivraient. Mais ceux-ci ne bougèrent pas. David Saker ricana de façon désagréable et dit :

— Madame a ses nerfs. Madame n'aime pas que l'on touche à son petit trésor !

Bryan Dunn se leva, furieux.

— Oh ! La ferme ! cria-t-il.

Puis il partit sur les traces de Carol Ansell, claquant la porte derrière lui. David Saker essaya de rire, mais son rire fit long feu. Robina Lacas le considérait avec réprobation et les deux autres n'étaient guère plus indulgents.

— Vous y allez fort, mon vieux, reprocha Volinsky. C'est tout de même le patron.

— Je suis d'accord, renchérit Biedermann. Mais il faut dire que si ce type était un patron digne de ce nom, ce roquet n'aboierait pas après lui.

David Saker se rebiffa.

— C'est moi le roquet ?

— Sûrement. Si j'étais à la place de Bryan, je vous aurais mis une muselière depuis longtemps, à coups de poing sur la gueule.

— Pfut ! riposta Saker. Je voudrais bien voir ça.

Il recula néanmoins à l'abri d'un fauteuil.

— Allons, intervint Volinsky, vous n'allez pas recommencer.

Robina Lacas souleva une brochure reliée qui se trouvait sur le bureau.

— C'est la synthèse, fit-elle remarquer. Il a oublié de la mettre dans le coffre.

Volinsky haussa les épaules.

— Tu sais, ici, on ne craint guère les voleurs.

— C'est surtout pour le feu, reprit-elle. S'il y avait un incendie...

— De toute façon, il doit avoir la clé sur lui.

— Je vais voir.

Elle passa dans la pièce voisine et revint aussitôt.

— La clé est restée dessus. Qu'est-ce qu'on en fait ?

— Tu la laisses où elle est, intervint David Saker. On n'est pas chargés de réparer ses conneries.

— De toute façon, dit Biedermann, ça ne risque rien.

— Je vais tout de même enfermer la synthèse, répliqua la jeune femme.

— Comme tu voudras.

Elle prit la grosse brochure et retourna dans le secrétariat. Ils l'entendirent ouvrir la porte, puis la refermer. Elle revint après avoir éteint la lumière.

— J'ai laissé la clé, annonça-t-elle. On va se coucher ?

Les trois hommes acquiescèrent d'un signe de tête. Biedermann vida le gobelet de carton qu'il tenait encore à la main et le jeta dans la corbeille à papiers. Puis il alla remettre la bouteille de scotch où il l'avait prise, dans le tiroir du classeur.

— On y va ! dit-il.

Robina sortit la première, puis ce furent David Saker et Biedermann. Igor Volinsky jeta un dernier regard d'ensemble sur la pièce, éteignit les lampes et ferma la porte en sortant à son tour. Ils suivirent le couloir qui desservait d'autres bureaux marqués à leur nom et reprirent leur duffle-coat au portemanteau près de la sortie.

Dehors, le vent les assaillit avec violence, leur coupant le souffle, et ils marchèrent sans plus rien dire vers le bâtiment d'habitation, éloigné de deux cents mètres environ. Le ciel était d'une grande limpidité, constellé d'étoiles et le froid très vif, comme toutes les nuits.

San Francisco, minuit et demi.

Rose Luggett regarda le client qui venait de s'asseoir au bar, sur le tabouret voisin du sien. C'était un homme de taille moyenne, ni beau ni laid, vêtu d'une chemise blanche pas très propre, d'une cravate grenat et d'un costume d'alpaga de laine gris clair. Il avait éprouvé quelques difficultés à se hisser sur le tabouret, ses paupières avaient tendance à se fermer malgré lui et sa tête dodelinait légèrement.

Il commanda un bourbon sec d'une voix pâteuse, puis se tourna vers Rose Luggett et demanda :

— Vous prenez quelque chose avec moi ? J'aime pas boire seul.

— Faut croire que vous avez rencontré beaucoup de monde aujourd'hui, répliqua la jeune femme.

— Vous prenez quelque chose ? répéta l'homme.

— On n'a pas été présentés, objecta Rose Lugget avec une lueur d'ironie au fond de l'œil.

— On m'appelle Frank, dit l'homme.

— Et moi Rose. Enchantée, Frankie.

— Enchanté, Rosie.

Il lui baisa cérémonieusement la main, puis laissa son regard sombrer dans le décolleté vertigineux de la jeune femme occupée à commander un dry au barman.

— Vous avez les plus beaux seins de San Francisco, assura Frank, qui ponctua son affirmation d'un sifflement affirmatif.

Elle fit semblant d'être choquée et mit sa main en écran.

— Faut pas regarder.

Il se mit à rire silencieusement, puis heurta son verre contre celui de Rose, qui ôta sa main.

— Qu'est-ce que vous aviez l'intention de faire, cette nuit ? questionna-t-il.

— Dormir. Pas vous ?

— Avec qui ?

— Avec qui quoi ?

— Vous me dites que vous avez l'intention de dormir. Je vous demande : avec qui ?

— Avec personne.

— Alors, vous allez dormir avec moi.

— Vous croyez au père Noël.

Il se pencha vers elle et se mit à lui pétrir la cuisse par-dessus la robe.

— Écoutez, ma jolie, reprit-il en baissant la voix, vous me plaisez beaucoup et je vous ferai un joli cadeau. Moi, le fric, je m'en fiche, c'est simple. J'en gagne plus que j'en peux dépenser...

— Vous avez de la chance, répliqua-t-elle en essayant de repousser la main de l'homme.

— Cent dollars, lança-t-il. Je te donne cent dollars si tu m'emmènes chez toi... Ça colle ?

Elle en resta bouche bée. C'était bien la première fois qu'un homme lui offrait une somme pareille pour coucher avec elle. Elle n'avait jamais pu obtenir plus de cinquante dollars et encore s'agissait-il d'un type complètement myope. Son tarif habituel était de trente dollars. C'était le prix qu'avait payé Vilmos Krany, le premier soir. Après...

Elle fixa l'homme au fond des yeux, essayant de s'assurer de sa sincérité. Cent dollars, c'était bon à prendre. Elle allait avoir besoin d'argent pour se faire avorter.

— J'aime les gros seins, expliqua l'homme.

Elle lui serra la main et lui murmura à l'oreille :

— Paie les verres, mon chou, on s'en va tout de suite. Et je t'en donnerai pour ton fric. Parole.

Il paya et elle sortit avec lui, bras dessus bras dessous. Sur le trottoir, elle pensa un instant à Vilmos Krany et elle se demanda si les G.men l'avaient arrêté. Elle lui souhaita mille malheurs. Ce sale étranger s'était abominablement moqué d'elle et...

— Ma voiture est de l'autre côté, dit l'homme.

— C'est pas la peine, répliqua-t-elle. J'habite tout près.

Elle l'entraîna. Il marchait presque normalement et elle ne put s'empêcher de le remarquer.

— Dis donc, mon chou, t'as l'air d'aller rudement mieux. C'est l'idée de ce qui va t'arriver qui te raffermit les jambes ?

— C'est le grand air, répliqua-t-il.

Ils tournèrent le coin de la rue. Elle habitait à côté, un petit appartement de deux pièces et cuisine, au rez-de-chaussée dans un immeuble en brique.

Ils entrèrent. Elle avait fermé les volets et tiré les rideaux avant de partir. Elle alluma. C'était meublé sans goût et il flottait encore des relents de cuisine.

— Mets-toi à l'aise, dit-elle. Je vais préparer à boire.

Elle l'embrassa goulûment sur la bouche, puis alla mettre un disque sur l'électrophone. Il ôta sa veste. Elle passa dans la chambre.

— Dis-moi où est le bar, lança-t-il, je vais m'en occuper.

Elle revint et lui montra un bahut dans un coin de la pièce.

— C'est ça, mon chou. Tu trouveras de la glace dans la cuisine.

Elle disparut de nouveau. Il mit des gants, ouvrit le bar, sortit deux verres, fit l'inventaire des bouteilles et prépara deux dry, moitié Cinzano, moitié gin, avec un zeste de citron. Il sortit ensuite de la poche de poitrine de sa veste un petit flacon qui contenait un liquide incolore dont il versa quelques gouttes dans l'un des verres. Il remit le flacon dans sa veste qu'il arrangea sur le dossier d'une chaise, ôta ses gants et marcha vers la porte de la chambre.

Rose Luggett, déshabillée, se préparait à enfiler un peignoir. Pendant quelques secondes, il la vit complètement nue et put constater avec une certaine surprise qu'elle n'était pas si mal que ça. Elle souffrait simplement d'hypertrophie mammaire ; jamais il n'avait vu de seins aussi gros. Il se demanda si Vilmos Krany avait aimé ça.

Elle s'aperçut de sa présence et le traita de cochon. Puis elle rouvrit son peignoir en lui faisant face, une seconde, le referma aussitôt et s'enquit :

— Ça te plaît ?

— Énormément ! répliqua-t-il.

Elle le rejoignit, lui passa les bras autour du cou, se serra contre lui et lui mordit la bouche.

— Toi aussi, tu me plais, murmura-t-elle.

Il la caressa un peu et ce fut elle qui demanda :

— Tu nous as préparé quelque chose ?

— Deux dry ; ils attendent.

Il s'écarta pour la laisser passer, puis alla prendre les verres et lui en donna un.

— Cul sec, proposa-t-elle. À nos amours.

Ils burent ensemble et reposèrent les verres d'un même mouvement.

— Ça fait du bien, murmura-t-elle.

Puis elle ajouta d'un ton câlin :

— Tu sais, trésor, ce n'est pas que je n'aie pas confiance, mais...

— J'ai compris.

Il sortit son portefeuille et en tira un billet de cent dollars qu'il remit à la jeune femme. Elle le fourra dans la poche de son peignoir puis embrassa fougueusement le généreux donateur.

— Merci, tu es un chou.

Il la poussa dans la chambre et lui ôta son peignoir. Elle le déshabilla, cependant qu'il s'amusait avec ses gros seins. Très vite, ils se retrouvèrent sur le lit...

Rose Luggett cessa soudain de s'intéresser aux débats et elle ne put réprimer un bâillement prolongé.

— Excuse-moi, bredouilla-t-elle, j'ai un de ces coups de pompe !

Il ne répondit pas. Trente secondes plus tard, elle dormait profondément et il acheva de faire l'amour avec une partenaire sans connaissance.

Il se rendit dans la salle de bains, ouvrit les robinets de la baignoire, trouva une serviette puis s'occupa de lui. Lorsque la baignoire fut pleine, il alla chercher la femme, la prit dans ses bras et revint la déposer dans l'eau. Elle n'eut aucune réaction. Alors, sans hésiter, il lui appuya sur la tête et la maintint sous la surface le temps nécessaire. Elle eut quelques soubresauts, sans plus, et mourut sans même s'en rendre compte.

Frank s'essuya les mains, remit ses gants, retourna dans la chambre, ramassa le peignoir, l'apporta dans la salle de bains et le jeta négligemment sur un tabouret après avoir récupéré les cent dollars. Il mit ensuite une savonnette dans l'eau, examina le décor, retoucha quelques détails çà et là, tel un metteur en scène consciencieux.

Il retourna dans la chambre et retapa le lit. Puis il se revêtit, rejoignit la salle de séjour, enveloppa dans un mouchoir le verre dans lequel il avait bu et le mit dans la poche de sa veste qu'il enfila. Un dernier regard et il s'en alla, laissant tout allumé.

Sur le trottoir, il croisa Richard Beaumont qui arrivait, ayant réussi à se procurer l'adresse de Rose Luggett.

Trop tard.

CHAPITRE 4

Deer Castle, huit heures.

Ils étaient tous là, dans la salle à manger, réunis pour le breakfast ; tous, excepté Bryan Dunn, le patron. David Saker avait allumé le poste de radio qui se trouvait réglé sur la station Keno de Las Vegas, American Chain, 1460 kilocycles. C'était le moment des informations.

Les toasts, le porridge, les pots de confiture et de miel, le beurre, les carafes de jus de pamplemousse et de café étaient déjà sur la table. De la cuisine proche parvenait une bonne odeur de bacon grillé sur lequel Master Jack était probablement en train de casser des œufs.

Igor Volinsky, le premier, s'inquiéta de l'absence de Bryan Dunn.

— Où est le boss ? demanda-t-il en regardant Carol Ansell.

La jeune femme, qui semblait de mauvaise humeur, haussa les épaules et répondit d'un ton maussade :

— Je n'en sais rien et cela m'est bien égal.

David Saker agita l'index à hauteur de son visage.

— Hé ! hé ! Je crois qu'il y a de l'eau dans le gaz !

Pour ajouter aussitôt, d'un air profondément dégoûté :

— Du gaz, toujours du gaz, encore du gaz !

Ils commencèrent de manger, écoutant les informations. Karl Biedermann dit soudain :

— Ils commencent à nous emmerder sérieusement avec leur Congo. On devrait bien leur envoyer quelques containers de gaz pour nettoyer tout ça.

David Saker bondit sur sa chaise.

— Écoutez ça, m'sieurs dames, c'est Hitler qui parle ! M. Biedermann estime que les chambres à gaz de feu Adolf n'ont pas fait assez de victimes...

Karl Biedermann était devenu cramoisi.

— Je regrette au moins que vous en ayez réchappé ! cria-t-il.

David Saker empoigna son couteau, se leva brusquement et repoussa d'un coup de pied sa chaise qui se renversa.

— Mes parents n'y ont pas échappé, eux, murmura-t-il d'une voix à peine audible. Et je vous tuerai pour les venger.

Blêmes, les deux femmes semblaient pétrifiées. Igor Volinsky suggéra doucement, avec une pointe d'humour :

— Si vous mangiez d'abord ? Vous auriez plus de force ensuite pour vous massacrer. Non ?

Master Jack entra juste à ce moment, avec sa bonne face noire hilare, portant les œufs au bacon.

— Ça c'est bon, s'exclama-t-il. Oh, que ça c'est bon ! Celui qui en laisse, je lui tords le cou. Parole.

David Saker respira bruyamment, reposa son couteau et ramassa la chaise renversée.

— Décidément, remarqua-t-il avec une ironie qui passait mal, tout le monde est d'humeur belliqueuse, ce matin.

Master Jack posa le plateau sur la table, roula ses gros yeux blancs et s'étonna :

— M. Bryan il est pas là ?

— Vous devriez aller le réveiller, mon vieux, dit Volinsky.

— J'y vais.

Le grand Noir quitta la salle et s'engagea dans le couloir qui desservait la salle de séjour et les chambres du bâtiment d'habitation. Il s'arrêta devant la porte de la chambre de Bryan Dunn et frappa.

— M'sieur Bryan !... Oh ! M'sieur Bryan ! Tout le monde vous attend pour déjeuner.

Pas de réponse. Master Jack hésita un peu puis tourna la poignée et poussa le battant qui s'ouvrit sans résistance. La pièce était vide et le lit n'avait pas été défait. Étonné, le Noir entra, alla jeter un coup d'œil dans le cabinet de toilette. Personne. Inquiet, il revint en pressant le pas. Le bulletin d'informations était terminé et le speaker vantait maintenant les mérites d'un certain laxatif. Les cinq tournèrent la tête dès que Master Jack entra.

— Alors ? questionnèrent-ils avec un ensemble presque parfait.

— M'sieur Bryan a pas couché dans son lit, annonça le Noir.

Robina Lacas, David Saker, Karl Biedermann, Igor Volinsky, tous regardèrent Carol Ansell. La jeune femme se troubla, devint écarlate, puis secoua négativement la tête.

— Que voulez-vous que je vous dise ? Je n'ai pas revu Bryan depuis hier soir.

Igor Volinsky se leva, caressa pensivement sa barbe dorée et dit :

— Il est peut-être dans son bureau, ou bien au laboratoire. Je vais appeler tous les postes par l'interphone.

Il s'essuya la bouche, reposa la serviette et se rendit dans la salle de séjour où se trouvait un interphone relié à tous les postes du centre. Il appuya successivement sur tous les boutons, appelant à chaque fois :

— Bryan, êtes-vous là ?

Il fit ainsi téléphoniquement le tour complet des installations sans avoir reçu la moindre réponse. Il coupa le contact et revint dans la salle à manger où les autres attendaient en silence. Ils avaient écouté et connaissaient le résultat.

— Il est peut-être retourné au labo et il a pu lui arriver un accident, suggéra Biedermann.

Carol Ansell toussota puis intervint. Sa voix était enrouée et mal assurée.

— Peu après le moment où vous êtes tous rentrés, il est retourné à son bureau... chercher la clé du coffre qu'il avait perdue.

— La clé ? lança Robina Lacas. C'est vous qui l'aviez laissée sur le coffre.

Carol Ansell baissa les yeux ; ses jolies mains trituraient sa serviette.

— C'est possible, admit-elle. Je ne m'en souviens pas.

— Au lieu de discuter, fit David Saker, on ferait mieux de le chercher.

— Pour aller plus vite, dit Biedermann, il n'y a qu'à faire deux équipes : une pour le labo, l'autre pour le bâtiment administratif. J'emmène Carol avec moi et nous allons au bureau. Igor et David, au labo.

— Voilà le colonel SS qui reprend le dessus, persifla David Saker.

Biedermann haussa les épaules.

— Imbécile !

— Allons-y, intervint Volinsky. Nous resterons en liaison par l'interphone.

— Et Robina ? s'enquit Carol.

Robina Lacas venait de prendre des œufs au bacon.

— Moi, je reste ici avec Master Jack, annonça-t-elle. J'ai faim.

Les autres la regardèrent avec surprise. Robina était plutôt bonne fille, habituellement, et toujours prête à rendre service, de toutes les manières.

— Bon, admit Biedermann. Tu restes là.

Les quatre allèrent chercher les duffle-coats dans les chambres et sortirent ensemble. Il faisait encore froid. Le soleil venait à peine d'émerger au-dessus des hauts sommets qui barraient l'horizon à l'est. Le temps était très clair et, bien qu'éloignés de quatre-vingts kilomètres environ, les monts Hamilton et Durkwater[1] se profilaient en contre-jour avec une remarquable netteté.

Ils pressèrent le pas en direction du bâtiment administratif auprès duquel se trouvait l'entrée

1. Respectivement 10 741 et 11 493 pieds d'altitude.

du laboratoire souterrain dont l'accès était commandé par un ascenseur doublé d'un escalier de secours. Ils ne parlaient pas. À cause du vent froid qui leur coupait le souffle et aussi parce qu'aucun d'eux ne tenait à exprimer son inquiétude. Depuis plus de six mois qu'ils vivaient en vase clos à Deer Castle, ils avaient eu le temps d'apprendre à se connaître et Bryan Dunn leur avait toujours donné le spectacle d'un homme nerveux, certes, et manquant d'autorité, mais toujours ponctuel et totalement dénué de fantaisie.

Les deux groupes se séparèrent à l'entrée du laboratoire que marquait un simple cube de ciment qui abritait l'ascenseur, l'escalier et le groupe électrogène. Karl Biedermann et Carol Ansell continuèrent vers le bâtiment préfabriqué qui contenait les bureaux. La porte en était grande ouverte, ce qui était tout à fait anormal. Ils longèrent le couloir et marchèrent jusqu'à une autre porte marquée « BRYAN DUNN » et « CAROL ANSELL ». Elle était fermée, mais pas à clé. Biedermann la poussa et il fut le premier à découvrir le corps recroquevillé sur le plancher.

Dans son duffle-coat, Bryan Dunn était couché en chien de fusil sur le côté droit, la tête dans les mains. Karl Biedermann s'agenouilla et voulut écarter un des bras, mais le corps était déjà raide. Biedermann se pencha davantage et vit l'affreuse blessure au front, à la naissance des cheveux collés par le sang coagulé. Il se redressa lentement. Carol Ansell n'avait pas crié. Appuyée au chambranle, elle était livide et respirait à petits coups, avec une grande difficulté. Biedermann eut peur de la voir tourner de l'œil et ordonna :

— Ne restez pas là. Sortez. Je vais prévenir les autres.

Elle obéit et s'éloigna en titubant. Quelques secondes plus tard, il l'entendit vomir dans le couloir. Il haussa les épaules, enjamba le corps et appuya sur celui des boutons de l'interphone qui mettait dans le même temps le poste directorial en communication avec tous les autres postes du centre, y compris celui qui se trouvait dans l'ascenseur.

— Allô, ici Karl, annonça-t-il. Vous m'entendez ?

La voix d'Igor lui répondit d'abord, puis celle de Robina.

— J'ai retrouvé Bryan, reprit-il, dans son bureau. Il est mort.

Une série d'exclamations lui coupa la parole.

— Je vous attends, termina-t-il.

Il appuya de nouveau sur le bouton. Son regard sans expression était fixé sur la plus proche des cornières chromées qui fixaient aux angles le cuir synthétique dont était recouvert le bureau métallique. Il y avait du sang, des morceaux de peau et des cheveux collés sur cette cornière.

San Francisco, neuf heures.

Glenn Gordon descendit du tram et prit à pied la direction du bureau. Il venait de chez lui, où il avait dormi à peine deux heures. Ses enfants partaient pour l'école lorsqu'il s'était réveillé et il avait à peine eu le temps de bavarder avec sa femme.

Il était fatigué et c'était dans des moments comme celui-là qu'il en voulait à J. Edgar Hoover[1], qui interdisait formellement à ses agents de rentrer chez eux avec les voitures du bureau, même lorsqu'ils finissaient leur travail au milieu de la nuit. C'était une règle absolue : les voitures devaient être ramenées au garage central dès qu'elles n'avaient plus à être utilisées pour les besoins du service.

La tête brumeuse et les jambes molles, Glenn Gordon entra dans le bâtiment du FBI et pointa l'heure de son arrivée. Il alla ensuite inscrire lui-même sur le tableau de travail le programme de sa journée, ce qu'il aurait dû faire

1. Chef du FBI depuis 1924.

normalement avant de s'en aller, bien que ce fût au petit jour. Après quoi, il gagna son bureau.

Le rapport du médecin légiste, qu'il avait réclamé en extrême urgence, l'attendait. Il le lut attentivement. D'après le praticien, rien ne permettait d'avancer que la mort de Rose Luggett pût être due à autre chose qu'un accident. Le corps ne portait aucune trace de piqûre, ni blessures, ni traumatismes ; le sang contenait un taux suffisamment élevé d'alcool pour justifier un malaise au contact d'une eau trop chaude. Pour finir, le médecin signalait que la jeune femme était enceinte de deux ou trois mois et qu'un homme l'avait possédée peu de temps avant sa mort.

Glenn Gordon alluma une cigarette et resta un long moment à réfléchir. S'il n'y avait eu cette histoire Vilmos Krany, le dossier Rose Luggett aurait pu être laissé à la police d'État qui l'aurait sans doute rapidement classé. Mais c'était tout de même une coïncidence un peu forte que Rose Luggett fût passée de vie à trépas quelques heures seulement après avoir dénoncé un authentique espion.

De toute façon, il fallait essayer de retrouver cet homme avec qui Rose Luggett avait fait l'amour avant de mourir et qui était peut-être le dernier à l'avoir vue vivante.

Richard Beaumont arriva sur ces entrefaites. Il avait le teint rose et frais qui lui était habituel et ne donnait aucun signe de fatigue. Gordon pensa, non sans amertume, qu'il était pareillement increvable vingt ans plus tôt. Puis il mit son jeune acolyte au courant.

— D'après Joe, conclut-il, cette fille était entraîneuse au *Pigboat*[1]. Débrouille-toi pour mettre la main sur le barman, demande-lui si elle est venue hier soir et, dans l'affirmative, avec qui elle est repartie. Exécution !

Glenn Gordon regarda sa montre. Il était un peu plus de midi.

Même s'il n'avait rien trouvé, Richard Beaumont devait bientôt appeler, obéissant au règlement qui impose à tout G.man en opération de téléphoner toutes les trois heures au bureau pour dire ce qu'il a fait et ce qu'il va faire.

En face de Gordon, Vilmos Krany restait impénétrable, refusant simplement de répondre à toutes les questions qui lui étaient posées.

Le téléphone sonna. C'était Beaumont.

— Je sors de chez le barman, annonça-t-il. Rose Luggett était hier soir au *Pigboat*. Elle a été levée vers minuit et demi par un type de quarante-cinq ans environ, brun, de taille

1. Sous-marin. Terme d'argot américain.

moyenne, vêtu d'un costume gris et d'une cravate rouge foncé unie. Ce type a dit qu'il s'appelait Frank et il a offert cent dollars à Rose Luggett pour coucher avec elle. Il avait l'air complètement rétamé, mais le barman qui s'y connaît a eu l'impression qu'il en rajoutait... Il croit aussi qu'il avait un léger accent d'Europe centrale.

— Minuit et demi, répéta Gordon. Tu es arrivé là-bas à une heure un quart...

— Une heure dix, rectifia Beaumont. Et...

— Et quoi ?

— Je crois bien que j'ai croisé le type sur le trottoir, chef. Je l'ai vu sortir de l'immeuble, mais je n'avais aucune raison de penser...

— Serais-tu capable de le reconnaître ?

— Euh... Je ne crois pas. Il faisait nuit et...

— Bon. Le barman pourrait-il le reconnaître ?

— Il affirme que oui.

— Alors, amène-le ici tout de suite et montre-lui la collection de photos de tous les réfugiés que nous avons fichés quand Kroukrou est venu se promener par ici.

— Il est encore au lit.

— Je m'en fous. Prends-le par le col de son pyjama et amène-le.

— Okay, chef.

Glenn Gordon reposa l'appareil, puis, son

regard froid de nouveau fixé sur celui de Vilmos Krany qui l'observait, il passa lentement l'ongle de son pouce sur sa lèvre inférieure.

— Connaissez-vous un certain Frank ? demanda-t-il.

Malgré tout son contrôle de soi, Vilmos Krany ne put s'empêcher d'accuser le coup. Il cessa un instant de respirer, ses yeux se dilatèrent brièvement et la peau se tendit sur son front. Peu de chose, mais cela était suffisant. Glenn Gordon savait maintenant qu'il tenait le bon bout.

CHAPITRE

5

M. Smith ôta ses lunettes de myope et entreprit d'en nettoyer les verres avec une minuscule peau de chamois tirée de son gousset.

— Je suppose que vous n'avez jamais entendu parler de Deer Castle ? demanda-t-il.

Hubert Bonisseur de la Bath, alias OSS 117, remua dans le fauteuil et secoua négativement la tête.

— Jamais, admit-il. Mais je sens que vous allez rapidement combler cette lacune dans mon érudition.

M. Smith regarda ses verres en transparence, puis les remit sur son nez.

— Deer Castle, reprit-il, désigne un centre de recherche scientifique qui a été installé en plein cœur du Nevada, dans les montagnes, à plus de deux mille mètres d'altitude, sur un piton rocheux en forme de dent creuse. Dans le fond de l'alvéole, deux bâtiments préfabriqués, l'un pour l'habitation, l'autre pour les services administratifs. En dessous, profondément encastrés dans le roc, un abri et un laboratoire. Dans ce laboratoire, une équipe de chimistes volontaires étudie les gaz de combat. Plus exactement, ces gens-là cherchent des parades aux différents gaz de combat susceptibles d'être utilisés en cas de guerre par un ennemi éventuel...

M. Smith remit la peau de chamois dans son gousset.

— Si je comprends bien, intervint Hubert, ils travaillent sur des formules piquées par nous en Russie ou ailleurs ?

— Exactement. Inutile de vous dire que toutes les précautions ont été prises au point de vue de la sécurité. Aucune route, aucune piste ne relie Deer Castle au monde extérieur. Le seul moyen d'accès est l'hélicoptère. Chaque jour, un appareil assure la liaison depuis la base militaire de Hot Springs transportant le ravitaillement et le courrier, et le médecin lorsque quelqu'un tombe malade. En cas d'urgence, les sept volontaires qui vivent à Deer Castle ont à leur disposition un émetteur-récepteur de radio.

Hubert parut étonné.

— Ils ne sont que sept ?

— Ils étaient sept, oui. Cinq ingénieurs chimistes, dont le chef de centre, une dactylo et un homme à tout faire.

— Et malgré tout, des fuites se sont produites ?

— Bien sûr. Sinon, je ne vous en parlerais pas. Tout récemment, sur une dénonciation anonyme, un réfugié d'Europe centrale, un certain Vilmos Krany, a été arrêté à l'aéroport de San Francisco alors qu'il se disposait à partir pour Berlin. Il transportait des microfilms de documents en provenance de Deer Castle. Le soir même, la fille qui l'avait dénoncé était trouvée morte dans sa baignoire. Le FBI est toujours sur l'affaire et il a pu identifier un suspect, un certain Frank Kinschler, d'origine autrichienne, employé d'une compagnie d'assurances et en instance de naturalisation. On lui applique pour l'instant le système de la longue corde[1].

M. Smith ouvrit un coffret de cèdre sur son bureau et en sortit un long cigare qu'il alluma sans se presser.

— Si bien qu'on ne sait toujours pas d'où ce Krany tenait ces microfilms ?

— Toujours pas.

1. Procédé qui consiste à mettre sous surveillance, sans l'inquiéter, un agent adverse démasqué, afin d'identifier les autres membres de son réseau qu'il peut être amené à rencontrer.

M. Smith souffla un rond de fumée vers le plafond, éteignit l'allumette et la jeta dans un cendrier. Il enchaîna sur le même ton :

— Le matin qui a suivi l'arrestation de Krany et la mort de Rose Luggett, à San Francisco, Bryan Dunn, le patron de Deer Castle, a été trouvé raide dans son bureau. Apparemment, il avait glissé et s'était fracturé le crâne sur un coin métallique de sa table de travail...

Hubert leva son sourcil droit en accent circonflexe.

— Apparemment ?

— Oui... Nous avons fait ramener le corps ici, pour le faire autopsier. Le toubib est formel : la blessure n'a pas été faite par un coin arrondi heurtant le crâne de bas en haut, puisque Dunn serait tombé dessus, mais par l'angle vif d'un objet lourd ayant frappé de haut en bas. Il faut donc penser que Bryan Dunn a été assassiné, puis que son assassin, pour camoufler le crime, a pris le soin d'appliquer la blessure sur l'angle du bureau afin d'y laisser des traces de sang et de cheveux. L'officier de sécurité de la base aérienne de Hot Springs n'y a vu que du feu et a conclu à l'accident.

— Si bien que l'espion assassin se croit maintenant tranquille.

— C'est probable.

— Des soupçons ?

— On peut soupçonner tout le monde et personne. Ils restent six qui peuvent avoir fait le coup...

M. Smith prit devant lui un paquet de fiches cartonnées, agrémentées de photos, et les tendit à Hubert qui se leva pour les prendre.

— Voici leurs fiches.

Hubert se mit à lire à haute voix :

— Ansell, Carol, Rose, née le 3 octobre 1932 à Boston, de Larry, John Ansell et de Mary, Eleanor Sherwood, célibataire, ingénieur chimiste, diplômée de l'université de Boston... Jolie fille... Biedermann, Karl, Rudolf, né le 6 décembre 1920 à Leipzig, Allemagne, de Otto Walther Biedermann et de Frieda Reitsch, docteur ès sciences, devenu citoyen des États-Unis le 16 mai 1950... Une belle tête de brute... Volinsky, Igor Ivanovitch, né le 3 février 1925 à Paris, de Ivan Konstantinovitch Volinsky et de Tania Berditchev, réfugiés russes, ingénieur chimiste, diplômé des universités de Paris et de Philadelphie, devenu citoyen des États-Unis le 20 juin 1957... jolie barbe et charme slave... Saker, David, né le 11 novembre 1931, à Berlin, de Ben Saker et de Sarah Diskin, ingénieur chimiste, diplômé de l'université de Columbia, devenu citoyen des États-Unis le 7 octobre 1951... Lacas, Robina, née le 9 février 1936 à Flagstaff, Arizona, de Martin José Lacas et de

Maria Luisa Avila, sténo-dactylo... Belle petite poupée... Oliver, Charco, né le 5 janvier 1919 à Beauregard, Mississippi, de Louis Oliver et de Victoria Jackson, cuisinier valet de chambre... Celui-là, en tout cas, n'est pas blanc...

Hubert étala les fiches dans sa main, comme un jeu de cartes, et regarda de nouveau les photographies. M. Smith reprit la parole.

— L'espion assassin est un des six. On peut supposer que Bryan Dunn l'a surpris en train de fouiller dans le coffre, peut-être en train de photocopier des documents. Si cela est vrai, il existe une chance pour que les microfilms parviennent à Frank Kinschler, à San Francisco, et nous pouvons espérer que l'opération ne passera pas inaperçue du FBI... En attendant, vous allez vous rendre à Deer Castle. Un avion spécial vous conduira demain jusqu'à Hot Springs et vous prendrez ensuite l'hélicoptère de liaison. Officiellement, vous serez le remplaçant de Bryan Dunn.

Hubert reposa les fiches sur le bureau.

— Mais je ne suis pas chimiste.

— Aucune importance. Arrangez-vous pour résoudre le problème avant qu'on s'en aperçoive.

— Bien entendu, vous me donnez carte blanche sur le choix des moyens ?

— Bien entendu. Descendez maintenant au

bureau des opérations. Howard vous montrera le dossier. Bonne chance, vieux garçon, amusez-vous bien.

— Je vais essayer. Au revoir, monsieur.

Hubert était à la porte lorsque M. Smith le rappela :

— Oh ! J'oubliais... Nous aimerions assez, dans la maison, que vous preniez le FBI de vitesse...

— Les G. men ont de l'avance.

— Je sais, mais... je vous fais confiance.

San Francisco, le même jour.

Le tramway à crémaillère qui escaladait California Street s'arrêta en ferraillant au carrefour de Grant Avenue. Cinq passagers en descendirent, deux femmes et trois hommes, parmi lesquels était Frank Kinschler.

Il était près de six heures et les ombres s'allongeaient sur la ville en même temps que la chaleur diminuait. Un chat dormait sous les arbres devant l'église. Frank Kinschler le considéra un court instant, puis entra dans le temple.

Plusieurs fois, depuis l'arrestation de Krany et l'assassinat de Rose Luggett, il avait eu l'impression d'être suivi ; mais jamais il n'avait pu en obtenir la certitude.

Il s'agenouilla dans un coin d'ombre et fit

semblant de prier. C'était depuis les événements qu'il avait pris l'habitude de passer un moment dans cette église, chaque soir en rentrant chez lui. Il l'avait fait dans l'espoir d'intriguer d'éventuels suiveurs et de les amener à pénétrer à leur tour dans le temple, ce qui lui aurait permis de les identifier.

Deux jours plus tôt, quelqu'un était venu derrière lui, mais ce n'était qu'une vieille femme, absolument insoupçonnable. Frank Kinschler persistait néanmoins dans une précaution qui était en passe de tourner à l'habitude. Il appréciait, au terme des journées torrides de cette fin d'été, la fraîcheur et le silence qui régnaient dans le saint lieu.

Il resta dix minutes environ et ressortit, rafraîchi et détendu, traversa l'avenue et passa devant le *Cathay House*[1]. Un tramway descendait à grand bruit, le conducteur agitant la clochette dont les sons aigrelets dominaient tous les autres. Les piétons étaient rares, presque tous de race jaune. Frank Kinschler peina encore sur une centaine de mètres à remonter la pente raide de California Street. Puis il entra dans l'immeuble qu'il habitait.

Une lettre l'attendait et son cœur se mit à

1. Célèbre restaurant du quartier chinois de San Francisco.

battre un peu plus vite car il en savait le contenu. Il attendit d'être chez lui, au dernier étage, pour déchirer l'enveloppe. Il en sortit ce qu'il supposait : un prospectus du National Car Rental System, une entreprise de location de voitures automobiles sans chauffeur.

Il brûla l'enveloppe et le prospectus dans un grand cendrier d'argent ciselé et alla jeter les cendres dans la cuvette des toilettes. Il tira la chasse d'eau, revint dans le studio et ouvrit les fenêtres. De là, il jouissait d'une vue admirable sur la baie de San Francisco. Le Bay Bridge, l'île de Yerba Buena, la prison d'Alcatraz et tout à gauche le fameux Golden Gate, avec Oakland dans le lointain brumeux.

Il alluma une cigarette, pivota sur ses talons et marcha jusqu'à la petite table qui supportait le téléphone. Il appela son garage et demanda qu'on lui prépare sa voiture, avec le plein d'essence, pour le lendemain six heures.

Quelques minutes plus tard, Glenn Gordon, qui se trouvait à son bureau, fut informé de cette communication[1]. Il prit immédiatement

1. Une loi fédérale interdit sur le territoire des États-Unis l'interception et la publication des messages personnels. Les écoutes téléphoniques ne sont donc pas recevables en tant que témoignage devant les tribunaux fédéraux. J. Edgar Hoover a toujours été personnellement hostile à ce procédé. Il n'est employé par le FBI que sur autorisation de l'attorney général et seulement dans les

ses dispositions pour faire relever Richard Beaumont qui avait filé Kinschler toute la journée et pour obtenir la disposition d'une voiture radio dès cinq heures le lendemain matin. Pour terminer, il demanda des renseignements sur le propriétaire du garage où se trouvait remisée l'automobile de Kinschler. C'était un homme honorablement connu, membre influent de la section locale de l'American Legion. Gordon décida de lui faire confiance. Il désirait vivement apporter une certaine amélioration au véhicule de Kinschler, à l'insu de celui-ci.

cas où une vie humaine est en danger, ou la sécurité du pays menacée.

CHAPITRE 6

Hubert Bonisseur de la Bath regardait sans le voir l'extraordinaire spectacle des montagnes rouges qui s'étalaient de plus en plus haut vers l'est. Bercé par le bruit d'écrémeuse des pales du Sikorsky, il réfléchissait.

Dans quelques instants, il serait à Deer Castle et sa mission commencerait vraiment. Il avait bien étudié le dossier et le savait par cœur. Il connaissait à peu près tout ce qu'il était officiellement possible de connaître sur les six personnes dont chacune pouvait avoir photocopié les documents et assassiné Bryan Dunn. Tous les six étaient apparemment insoupçonnables. Tous les six, avant d'être admis à Deer Castle, avaient fait l'objet d'enquêtes très poussées de la part des services de sécurité. Bien sûr, la logique nationale voulait que les trois individus récemment naturalisés fussent les plus sujets à caution. Peut-être y avait-il parmi eux un *Hyphenated American*[1] ; peut-être...

Il faudrait essayer de retrouver l'arme du crime, tester les appareils photographiques. Les photocopies de documents avaient été prises au moyen d'un Minox avant d'être réduites. Le film était rayé verticalement à un certain endroit et cette particularité devait permettre d'identifier l'appareil utilisé par l'espion.

Le lieutenant Larry Barrows, un grand gaillard au crâne rasé, qui pilotait l'hélicoptère, toucha soudain l'épaule d'Hubert.

— On arrive ! cria-t-il.

Hubert aperçut alors Deer Castle et il pensa que c'était vraiment tel que M. Smith l'avait décrit : une dent creuse avec deux bâtiments au fond de l'alvéole. Du sable, du caillou, pas la moindre verdure. Il ne put s'empêcher de grimacer. Le pilote qui l'observait eut un mouvement de tête apitoyé.

— Belle villégiature, hein ? Si vous voulez mon avis, vous auriez mieux fait de vous casser une patte que de signer un contrat pour venir ici. En six mois, les autres sont déjà à moitié fous.

L'appareil plongeait en oblique vers les bâti-

1. Citoyen de fraîche date qui conserve des sympathies pour son pays d'origine.

ments qui grossissaient rapidement. Occupé par les manœuvres d'atterrissage, le pilote s'était tu. Hubert l'observait. La seule liaison entre Deer Castle et le monde extérieur était assurée par cet hélicoptère et par cet homme qui le pilotait. Aucun des volontaires de Deer Castle n'ayant quitté le centre depuis plus de six mois, il fallait bien admettre que l'hélicoptère, à défaut du pilote, avait été utilisé pour sortir les photocopies des documents.

Un grand Noir était sorti du bâtiment vers lequel l'appareil se dirigeait. Une femme arrivait, venant de l'autre bâtiment. Hubert pensa que le reste du personnel devait être au travail. De toute façon, ils n'avaient pas été prévenus de l'envoi d'un nouveau patron.

L'hélicoptère se balança un instant à faible hauteur, soulevant un nuage de poussière qui escamota brusquement le décor. Puis les roues touchèrent le sol, le moteur s'arrêta. Les pales du rotor continuèrent de battre l'air pendant une demi-minute, puis s'immobilisèrent. Le vent qui soufflait de l'est balaya la poussière. Le Noir et la jeune femme, qui s'étaient rejoints, furent de nouveau visibles. La femme était une petite brune et Hubert la reconnut d'après les photos qu'il avait vues à Washington. Le Noir ne pouvait être que Charco Oliver, dit Master Jack, l'homme à tout faire de Deer Castle.

Ils adressèrent un signe de bienvenue au lieutenant Larry Barrows, puis aperçurent Hubert, dont la présence parut grandement les intriguer.

Hubert ouvrit la portière et descendit.

— Mon nom est Hubert Bonisseur de la Bath, dit-il. Je suis votre nouveau patron.

Les grands yeux bruns de la jeune femme s'arrondirent. Elle glissa un doigt dans le décolleté en pointe du sweater gris qu'elle portait sur une jupe de toile d'un gris plus foncé, et se mordit la lèvre inférieure avant de s'exclamer :

— Le nouveau patron ? Mince, alors ! Personne ne nous a prévenus.

Hubert sourit.

— Je sais. J'espère que la surprise n'est pas trop désagréable.

Elle inclina la tête sur son épaule droite, examina Hubert des pieds à la tête et lui lança une œillade incendiaire.

— Pas pour moi, en tout cas.

Hubert se mit à rire, puis regarda le Noir.

— Master Jack ?

— Oui, monsieur, répliqua l'autre. Enchanté.

Il paraissait plus méfiant que réellement enchanté. Il salua de la tête, puis contourna

Hubert pour aller ouvrir la porte du compartiment inférieur.

— Excusez-moi, monsieur, reprit-il. Faut que je décharge le ravitaillement.

Le pilote interpellait la jeune femme.

— Tiens, cocotte ! Prends le courrier.

Elle alla chercher un petit sac de toile à peine gonflé et revint en se dandinant vers Hubert.

— Vous voulez voir votre chambre ? Après ça, je vous conduirai au bureau.

— Volontiers. Je prends ma valise...

— Master Jack s'en chargera.

Elle le précéda vers le bâtiment d'habitation et lui fit les honneurs de la maison : la cuisine, le réfectoire, la salle de séjour, et, de l'autre côté du couloir, les chambres. Tout au fond, celle de Robina, puis dans l'ordre en revenant vers l'entrée, celles de Carol Ansell, du chef de centre, de David Saker, Karl Biedermann, Igor Volinsky et Master Jack.

Hubert retourna dans la chambre du chef de centre, qui avait été celle de Bryan Dunn.

— J'en connais un, dit Robina en pouffant, qui ne va pas être très content de vous voir.

— Ah, oui ?

— Ce n'est pas la peine que je vous le dise, il ne pourra sûrement pas le cacher.

Lorsqu'ils ressortirent, Master Jack apportait dans la cuisine des cageots déchargés de l'hélicoptère. Il lança vers Hubert un regard qui parut à celui-ci chargé d'appréhension, puis tourna le dos. Dehors, le lieutenant Barrows vint vers eux.

— Rien à remporter ? questionna-t-il.

— Non, répondit Robina. Par exception, il n'y a pas de courrier aujourd'hui.

— Parfait. J'attends les cageots vides et je repars.

Il ajouta ironiquement à l'intention d'Hubert :

— Bonne chance, amusez-vous bien.

— Merci, lieutenant. À demain.

Hubert et Robina partirent vers le bâtiment administratif. Le soleil qui déclinait derrière eux allongeait leurs ombres sur le sol caillouteux.

— Carol va être contente, dit la jeune femme d'un ton acide. Elle est comme moi, elle aime les beaux garçons... surtout quand ils sont patrons. Méfiez-vous d'elle, c'est une intrigante. Elle menait Bryan par le bout du nez.

— Il était amoureux d'elle ?

— Ils couchaient ensemble, ça n'est pas un secret.

— Et vous ? demanda tranquillement Hubert. Avec qui couchez-vous ?

Elle se rebiffa.

— Dites donc, vous ! Ça vous regarde ?

La seconde suivante, elle se calma et se mit à rire.

— Avec qui me plaît, répondit-elle.

— Moi aussi, assura-t-il, et vous me plaisez beaucoup.

Elle lui lança un regard en coulisse et répliqua :

— Hé ! Hé ! Vous ne me déplaisez pas non plus.

— Bon, fit Hubert, restons-en là pour l'instant.

— Comme vous voudrez...

Elle semblait un peu déçue, mais Hubert n'avait pas l'intention de se laisser mettre une bride sur le cou sans savoir où cela pourrait le conduire.

— C'est l'entrée du laboratoire, indiqua la jeune femme en montrant le cube de béton qui protégeait l'ascenseur et l'escalier. C'est Carol qui vous montrera ça...

Le moteur de l'hélicoptère se remit à tourner bruyamment comme ils arrivaient à la porte du bâtiment. Robina passa la première et suivit le couloir. Le bruit de l'hélicoptère s'était estompé, mais ils entendaient maintenant des voix dans le bureau directorial. Hubert saisit le bras de Robina, l'empêchant d'ouvrir la porte, et lui fit signe d'écouter...

Carol Ansell rangeait des papiers sur le bureau. Elle était vêtue d'une blouse blanche de chimiste, incomplètement boutonnée en haut, et en Nylon suffisamment transparent pour laisser deviner le soutien-gorge, la culotte et les jarretelles qui constituaient avec la blouse ses seuls vêtements.

Karl Biedermann, debout près de la fenêtre, regardait au loin. Lui aussi portait une blouse blanche, sur des pantalons de velours côtelé brun clair.

— Qu'est-ce que vous regardez ? demanda Carol.

— L'hélicoptère qui repart.

La jeune femme se redressa, arrangea son chignon des deux mains, ce qui fit saillir sa poitrine, et remarqua :

— Il n'est pas resté longtemps.

Karl alluma une cigarette et reprit :

— Tout à l'heure, Robina va nous apporter le courrier.

— Qu'est-ce que ça peut vous faire, puisque vous ne recevez jamais de lettres ?

Karl se retourna, un sourire sarcastique au coin des lèvres.

— J'attends une lettre de Washington, répliqua-t-il avec une lenteur voulue. Normalement, c'est moi qui dois être désigné pour prendre la direction du labo... Je suis non seulement le plus âgé mais aussi le plus qualifié.

— Pfut ! fit Carol en haussant les épaules.

Une ombre voila un court instant les yeux clairs de Karl Biedermann. Il vint sans se presser jusqu'au bureau, écrasa dans le cendrier sa cigarette à peine entamée, puis s'appuya des deux mains sur le bord de la table, face à la jeune femme. Son regard plongea dans le décolleté et s'alourdit soudain.

— Vous avez une blouse qui bâille joliment, Carol.

Indifférente, la jeune femme riposta :

— Vous n'êtes pas obligé de regarder.

— Vous n'êtes pas non plus obligée de montrer.

Elle se redressa, soulevant une pile de dossiers, et le considéra sans aménité.

— J'ai chaud, dit-elle sèchement, je me mets à l'aise.

Elle marcha jusqu'au classeur, et rangea les dossiers qu'elle tenait. Karl ne l'avait pas quittée des yeux. Il cessa de s'appuyer au bureau et se déplaça pour se trouver entre celui-ci et la jeune femme.

— Si je me foutais à poil, dit-il grossièrement, sous prétexte qu'il fait chaud, qu'est-ce que vous diriez ?

— Rien. Je ne vous regarderais pas, c'est tout.

Elle referma le tiroir du classeur et revint vers le bureau. Karl allongea le bras, lui saisit le poignet et l'attira. Ils étaient face à face. Carol, sans émotion apparente, soutenait sans faiblir le regard de son interlocuteur dont le visage congestionné dénonçait le trouble.

— Autant vous le dire tout de suite, Carol... J'ai l'intention de prendre TOUTE la succession de Bryan.

Elle le toisa, ironique et froide.

— Vraiment ?

— Vous, en premier.

Il lui prit brusquement le visage entre ses mains et l'embrassa sur la bouche. Elle n'essaya même pas de se défendre. Simplement, elle resta comme une statue de pierre, pareillement inaccessible. Vexé, il ôta ses mains et recula d'un pas.

— Je ne vous plais pas ?

La question reflétait autant de surprise que de rancœur. Carol sourit, un sourire suave.

— Si, Karl, répliqua-t-elle doucement, beaucoup.

Et elle le gifla, aller retour, avec une violence imprévue. Il devint très pâle, resta un court instant sans réaction, la bouche ouverte. Puis la colère monta en lui, le submergea. Il saisit la jeune femme aux épaules et la secoua brutalement.

— Ah ! C'est comme ça !... Je vais te dresser, moi, tu vas voir !

Il la poussa en arrière, la bascula sur le bureau, pesa de tout son poids sur elle afin de l'immobiliser. Elle s'empara de ses cheveux, à pleines mains, et lui remonta la tête à bout de bras. Il la frappa au visage, l'obligeant à lâcher prise, lui rabattit les bras, emprisonna les poignets dans une seule de ses mains. De l'autre, il tira sur la blouse, faisant sauter les boutons, remonta un genou entre les cuisses de la jeune femme qui se mit à crier...

— Je crois qu'il est temps d'intervenir, dit Hubert dans le couloir.

Il prit le sac de courrier des mains de Robina et fit signe à celle-ci de s'éloigner. Puis il ouvrit la porte et entra sans attirer l'attention du couple qui luttait furieusement sur le bureau.

— Surtout, ne vous dérangez pas pour moi, dit Hubert le plus naturellement du monde. Continuez, je vous en prie.

Karl Biedermann jura, se redressa et fit deux pas en arrière en pivotant d'un quart de tour. Carol Ansell suivit le mouvement et se mit à se frotter les côtes.

— Qui êtes-vous ? hurla Biedermann, au

combble de la fureur. Qui vous a permis d'entrer ?

Hubert sourit gentiment.

— Permettez-moi de me présenter : Hubert Bonisseur de la Bath. Je suis votre nouveau patron.

Le sang se retira du visage de Karl qui parut en même temps se décomposer.

— Qu'est-ce que vous dites ? bredouilla-t-il.

Carol Ansell rabattit sa blouse sur ses cuisses gainées de Nylon. Karl Biederman fonça vers Hubert, et le saisit aux revers de sa veste. Hubert posa le sac de courrier sur un classeur à portée de sa main.

— Qu'est-ce que vous dites ?

Très calme, Hubert conseilla :

— Lâchez-moi.

— Qu'est-ce que vous dites ? hurla Biedermann.

— Lâchez-moi, répéta Hubert.

Un ton en dessous.

— Espèce de...

Karl Biedermann n'eut pas le temps de terminer l'injure. De toute sa puissance, Hubert avait remonté ses bras entre ceux de son antagoniste, obligeant celui-ci à le lâcher. La seconde suivante, il rabattit ses mains en couperet sur les tendons, de chaque côté du cou. Biedermann cria et se plia en deux, à la rencontre du genou d'Hubert qui lui percuta l'estomac.

Hubert fit un pas de côté, rattrapa par le col et par la ceinture de sa blouse son adversaire qui s'écroulait, et le propulsa dans le couloir, la tête la première. Cela fit un grand bruit. Hubert referma la porte sans plus s'en occuper et sourit gentiment à Carol médusée.

— Excusez-moi, dit-il en tirant sur ses manches. Mais, si je suis intervenu, c'est que vous ne me paraissiez pas tout à fait d'accord avec ce hussard.

Les fesses appuyées au rebord du bureau, elle le regardait sans répondre. Il vint jusqu'à elle.

— Vous permettez ?

Il entreprit de lui reboutonner sa blouse ouverte jusqu'à la taille.

— C'est bien joli, apprécia-t-il, mais je préfère ne rien devoir à cette brute.

Il arrivait au dernier bouton. Elle lui saisit la main pour l'arrêter.

— Pas celui-là.

Il recula d'un pas, apprécia d'un œil connaisseur.

— Pas celui-là ? Vous avez parfaitement raison.

Il fit encore un pas, de côté, examina du regard les dossiers sur le bureau.

— Je suppose que vous êtes Carol Ansell ?

Elle secoua la tête, comme au sortir d'un rêve, arrangea son chignon de sa main droite.

— Oui, excusez-moi...

— Et le hussard s'appelle Karl Biedermann...

— Oui.

— Ça lui arrive souvent d'essayer de vous violer ?

— C'était la première fois.

— En quel honneur ?

Encore sous le coup de l'émotion, elle s'anima soudain et répondit avec vigueur :

— Il croyait prendre ici la succession de Bryan et...

Elle s'interrompit et ne put s'empêcher de rougir. Hubert acheva tranquillement :

— Et il estime que vous faites partie de cette succession.

Elle fut un moment sur la défensive, la tête haute, les mâchoires serrées. Puis elle se détendit :

— De toute façon, vous le saurez très vite... J'étais la maîtresse de Bryan.

— Vous l'aimiez ?

— Je l'aimais bien.

— Sans plus ?

— Il était sympathique et il me plaisait physiquement.

Elle le défia de nouveau et ajouta :

— Mettons que c'était pour moi, surtout, une question d'hygiène, aussi bien mentale que physique. Quand vous saurez ce qu'est la vie ici, dans cet isolement presque absolu, vous comprendrez...

Il sourit, un sourire amical.

— Je ne vous demande pas de vous justifier... J'espère seulement que cette... pratique hygiénique vous procurait aussi quelque plaisir.

Elle détourna la tête et ne répondit pas. Il contourna le bureau et s'assit à la place qui avait été celle de Bryan Dunn.

— Pouvez-vous me dire pourquoi Dunn est revenu ici en pleine nuit pour chercher la clé du coffre ? Craignait-il que l'un d'entre vous ne vienne voler des documents ?

Le joli visage de Carol Ansell exprima une vive surprise.

— Nous avons tous accès au coffre. Il suffirait de demander la clé à Bryan. Pourquoi revenir la nuit, en cachette ?

— Alors ? Pourquoi Dunn s'est-il inquiété au point de revenir ici ?

— Il croyait l'avoir perdue ; ce qui aurait été grave, car il n'y en a qu'une. C'était un grand nerveux et il savait qu'il ne pourrait pas s'endormir avant de l'avoir retrouvée.

— Je vois, dit Hubert.

Il ouvrit le premier tiroir à droite et en sortit un colt Huntsman de calibre 22 à canon long.

— À qui est-ce ?

— Il fait partie de l'équipement du chef de centre.

— Y a-t-il d'autres armes, ici ?

— Non. C'est la seule.

Hubert reposa l'automatique dans le tiroir et sortit une clé plate, du type serrure de sûreté.

— Et ça ?

— C'est la clé de l'abri. Vous savez que nous travaillons ici sur des gaz de combat extrêmement dangereux, et qu'un accident est toujours possible. Comme la configuration du terrain nous interdit la fuite, un abri a été construit dans le roc, avec une atmosphère artificielle. En cas de nécessité, nous pourrions tenir là-dedans cinq ou six jours, ce qui nous donne une marge de sécurité très rassurante.

Hubert fit sauter la clé dans sa main.

— Je trouve bizarre qu'une clé aussi importante soit aussi mal protégée.

Elle s'étonna.

— Contre qui ? Elle a la même importance pour tous.

Il la remit en place, referma le tiroir, et montra la porte ouverte du secrétariat.

— Votre domaine ? questionna-t-il.

— Oui.

Elle se déplaça et passa la première pour lui faire les honneurs. Il se leva pour la suivre et, sans qu'elle s'en aperçût, appuya sur le bouton de l'interphone qui mettait l'appareil directorial en communication avec tous les autres postes à la fois.

— C'est là qu'est le coffre ? questionna-t-il d'une voix assez forte.

Dans l'espoir que, l'entendant parler, tous ceux qui se trouveraient à l'écoute feraient le silence pour surprendre la suite.

Le coffre-fort était à gauche. À droite, le bureau de Carol Ansell.

Hubert examina les lieux. Logiquement, si l'on admettait que Dunn avait surpris son assassin occupé à prendre des photocopies de documents sortis du coffre, l'arme du crime devait se trouver dans cette pièce.

Mais, pas plus qu'à côté, il ne vit d'objet lourd à angles vifs. Des photographies décoraient les murs. L'une d'elles, fortement agrandie, représentait Carol Ansell assise à son bureau, souriante. La jeune femme vit ce qu'il regardait et dit :

— Prise par Bryan, je l'aime beaucoup.

Hubert approcha. Un détail venait d'attirer son attention. Sur le bureau, un énorme cendrier de cristal taillé à facettes accrochait la lumière.

— Joli cendrier, remarqua-t-il.

— Il était à moi, j'y tenais beaucoup.

Il se retourna vers elle.

— Vous ne l'avez plus ?

— Il a disparu.

— Quand ?

— Après la mort de Bryan... Je soupçonne un des enquêteurs de la sécurité militaire qui sont venus ici pour l'enquête.

— Êtes-vous sûre qu'il était encore là lorsque vous avez découvert le cadavre, avant l'arrivée des enquêteurs ?

Elle fronça les sourcils, intriguée.

— Pourquoi me posez-vous cette question ?

— Répondez d'abord, je vous expliquerai ensuite.

Elle réfléchit, puis exprima son ignorance par un haussement d'épaules.

— Je ne sais pas... Je ne suis pas entrée ici dans cet intervalle. Je ne peux pas le savoir. Peut-être Igor s'en souviendra-t-il...

Hubert mit les mains dans ses poches et regarda dehors par la fenêtre. C'était la fin du jour. Le soleil couchant teintait de rose et de mauve les crêtes rocheuses qui cernaient le cirque de Deer Castle.

— Je crois que c'est avec ce cendrier que Bryan Dunn a été tué, prononça-t-il lentement.

Carol Ansell ne réagit pas immédiatement,

comme si la phrase lancée par Hubert avait dû parcourir un certain chemin avant de lui parvenir. Elle sursauta et répéta :

— Tué ? Avec ce cendrier ? Mais il est tombé la tête la première sur son bureau, à côté... L'officier de sécurité de Hot Springs a confirmé...

— L'officier de sécurité n'avait pas pour conclure les éléments de l'autopsie. Le spécialiste qui a fait cette autopsie à Washington est formel : Bryan Dunn a été frappé de haut en bas avec un objet très lourd à angle vif ; il n'est pas tombé sur une cornière arrondie qui aurait fait éclater la boîte crânienne de bas en haut, en admettant que le choc ait été suffisamment violent.

Elle avait pâli et ses lèvres tremblaient.

— Mais les traces sur le bureau ?

— Une mise en scène.

Elle fit quelques pas de côté, se laissa tomber sur sa chaise et se prit la tête dans les mains, les coudes sur le bureau.

— Mon Dieu ! murmura-t-elle.

Il l'observait intensément.

— Écoutez, reprit-il, je crois que je peux vous faire confiance. Je ne suis pas chimiste, Carol, et je ne suis pas venu ici pour remplacer Bryan Dunn.

Elle cessa de respirer, puis son visage bouleversé émergea lentement de l'écran de ses mains.

— Mais alors ? balbutia-t-elle. Qui êtes-vous ?

Il répondit sans préciser :

— Un agent des services spéciaux.

Elle ne comprit pas et s'enquit :

— Le FBI ?

— Non, Carol. La CIA.

Elle parut effrayée.

— Qu'est-ce que ça veut dire ?

— Ça veut dire que des fuites se sont produites à partir d'ici, nous en avons la preuve, et que Dunn a été tué par l'espion qu'il avait surpris la main dans le sac.

Complètement abasourdie, Carol Ansell secouait latéralement sa jolie tête comme pour un refus.

— Ce n'est pas possible, répliqua-t-elle. Penser que l'un de nous, ici...

— C'est non seulement possible, mais certain. Et je compte sur vous, Carol, pour m'aider à démasquer le coupable...

CHAPITRE 7

Glenn Gordon enfonça brusquement l'accélérateur et la voiture bondit en avant. Richard Beaumont, qui s'était plongé dans la lecture du dernier numéro de *L'Enquêteur*[1], releva la tête, surpris. Le bruit du moteur déchaîné couvrait les signaux reçus par le poste émetteur-récepteur de radio en position d'écoute permanente. Puis la vitesse se stabilisa, le moteur reprit son ronronnement habituel et les signaux redevinrent audibles.

— Qu'est-ce qui se passe ? s'enquit Beaumont.

— Nous arrivons à Reno, et je préfère maintenant rétablir le contact à vue. En ville, c'est plus sûr.

La veille, avec l'accord du garagiste, il avait

1. Magazine intérieur du FBI qui sert de lien entre les quinze mille employés répartis sur tout le territoire.

fait installer une boîte à sardines[1] sous la Ford de Frank Kinschler. Depuis six heures un quart du matin, depuis qu'ils étaient partis de San Francisco, ils suivaient ainsi leur gibier à l'oreille, sans se montrer.

Richard Beaumont replia le magazine et le fourra dans la poche de la portière. Ils atteignaient les faubourgs de la ville et la circulation devenait plus dense. Le temps était beau et pas un nuage ne troublait le bleu profond du ciel. Gordon jeta un regard inquiet sur la jauge d'essence et grommela :

— J'espère qu'il va au moins s'arrêter pour faire le plein.

Comme si les dieux avaient entendu son souhait, l'intensité des signaux se mit brusquement à croître de façon anormale.

— Attention, dit Gordon. Il s'est arrêté.

Dix secondes plus tard, ils reconnurent la Ford immobilisée près d'une pompe dans une station-service. Kinschler était descendu et parlait à l'employé. Il paraissait détendu et ne regardait pas vers la route.

Il y avait une autre station-service deux cents mètres plus loin. Gordon y arrêta la voiture et demanda au pompiste de faire rapidement le

1. Minuscule émetteur à transistors, de la taille d'une boîte à sardines, capable d'émettre des signaux fixes pendant trente-six heures et plus.

plein. Un client, dont le véhicule était au graissage, s'escrimait avec une machine à sous. Beaumont le regarda et demanda :

— C'est vrai qu'il existe des machines à sous jusque dans l'antichambre des médecins ?

Glenn Gordon se mit à rire.

— À Reno, tout est possible. On en trouverait dans les temples que ça ne m'étonnerait pas du tout.

Le pompiste, ayant refait le plein du réservoir, vérifia l'eau et l'huile. Gordon payait lorsque Beaumont signala le passage de la Ford.

Ils la rattrapèrent un peu plus loin. Gordon laissa deux voitures entre eux, se rapprochant seulement aux croisements afin de ne pas se laisser bloquer par un feu rouge. Ils traversèrent le centre de la ville. Un train de la Southern Pacific Railway était en gare, et les taxis se ruaient pour charger les touristes venus dépenser leur argent, ou les femmes seules en mal de divorce.

Frank Kinschler continuait de rouler régulièrement. Il devint vite évident qu'il n'avait pas l'intention de rester à Reno. Lorsqu'ils furent sur la 395, en direction du sud, ils crurent un moment que le gibier les conduisait à Carson, mais la Ford tourna vers la gauche quelques kilomètres plus loin pour se diriger vers l'aéroport.

Gordon s'arrêta un instant à l'entrée du parking pour laisser descendre Beaumont, afin que celui-ci pût suivre immédiatement Kinschler qui avait déjà rangé sa voiture.

Richard Beaumont entra dans le hall quelques secondes après Kinschler qui se dirigea sans hésiter vers le bureau d'une compagnie nationale. Il y avait suffisamment de monde pour que Beaumont pût approcher sans risque. Il entendit Kinschler demander un aller et retour pour Las Vegas et retenir une place dans l'avion de onze heures.

Richard Beaumont battit en retraite et retrouva Gordon sur le terre-plein devant le bâtiment. Il le mit rapidement au courant. Gordon lui donna de l'argent et lui demanda d'aller acheter deux places pour le même avion. Puis il retourna jusqu'à sa voiture, alluma l'émetteur-récepteur de service, sortit le combiné de la boîte à gants et appela le bureau de San Francisco.

— Kappa six appelle Kappa un... Kappa six...

On répondit presque aussitôt.

— Ici Kappa un... Je vous entends quatre sur cinq, Kappa six, allez-y.

Gordon expliqua qu'ils étaient à Reno et qu'ils s'apprêtaient à prendre l'avion pour Las Vegas, en compagnie de Kinschler. Tout allait bien, mais si un collègue de Las Vegas pouvait venir les attendre à l'atterrissage avec une voiture, cela irait encore mieux. Le type du bureau des communications promit de faire le nécessaire. Gordon coupa la communication, remit le combiné dans la boîte à gants, descendit et verrouilla toutes les portières. Puis, sans se presser, il marcha vers l'aérogare...

Il avait maintenant la quasi-certitude que Beaumont et lui ne s'étaient pas dérangés pour rien. Car Frank Kinschler aurait aussi bien pu prendre l'avion à San Francisco. S'il était venu jusque-là en voiture, cela ne pouvait être que dans le but de brouiller sa piste. Kinschler avait donc presque sûrement un rendez-vous, à Las Vegas ou plus loin, et Gordon espérait bien savoir avec qui avant la nuit...

Deer Castle, même heure.

Hubert Bonisseur de la Bath ressortit du laboratoire derrière Carol Ansell. Elle lui avait montré les gazomètres, la chambre étanche, dans laquelle on expérimentait les masques sur des singes, la ménagerie où se trouvaient enfermés lesdits singes et un certain nombre de rats, les interféromètres et autres appareils de mesure, le détecteur composé artisanalement d'un papier réactif fixé sur l'embouchure d'un petit séchoir à cheveux amputé de sa résistance chauffante et dont le rôle était d'informer le personnel du laboratoire de la moindre fuite de gaz, la réserve où étaient entreposés les produits chimiques et des bouteilles d'air liquide.

Hubert savait maintenant que le gaz contenu dans les gazomètres était un gaz toxique attaquant les centres nerveux du cerveau et provoquant une folie douce à très faible dose et une mort atroce à forte dose.

— Vous ne pouvez pas imaginer quel faible taux de dilution dans l'atmosphère est suffisant. Par exemple, ce que nous détenons ici suffirait à intoxiquer une ville de mille habitants, un jour sans vent avec une atmosphère humide. Je tremble quelquefois à l'idée qu'une fuite pourrait se produire...

Ils entrèrent dans l'ascenseur. Carol appuya sur le bouton. Hubert demanda :

— Vous avez trouvé une parade efficace ?

— Oui, ces jours derniers nous avons mis au point un filtre absolument parfait ; mais il n'en existe qu'un exemplaire.

— Qu'allez-vous faire de tout ce gaz, maintenant ?

— Dès que nous en aurons reçu l'ordre nous le dissocierons, c'est-à-dire que nous en fractionnerons les divers constituants par la technique du froid. C'est à ça que doivent servir les bouteilles d'air liquide que vous avez vues. Nous emploierons aussi du chlorure de méthyle et de l'acétone carbonique. Pour ne rien vous cacher, il me tarde d'en être là, surtout maintenant, après ce que vous m'avez appris...

L'ascenseur s'arrêta. Ils sortirent de la cabine et retrouvèrent la chaleur et la lumière aveuglante de l'extérieur. Hubert mit des lunettes de soleil.

— Nous allons visiter l'abri, si vous le voulez bien, dit-elle. L'entrée se trouve derrière le bâtiment d'habitation.

Ils avaient pris la clé au bureau avant d'entamer ce tour du propriétaire. Ils partirent à pied.

— Pourquoi tous les autres me battent-ils froid ? questionna-t-il soudain.

Elle parut ennuyée.

— Vous croyez ? éluda-t-elle.

Il savait pertinemment pourquoi. Parce qu'il avait appuyé sur le bouton de communication générale de l'interphone directorial, tous avaient entendu la veille sa conversation avec Carol et tous savaient maintenant qui il était et pourquoi il était venu. Après cela, l'atmosphère du dîner n'avait pas été particulièrement détendue. Tous l'observaient avec méfiance et personne ne parlait. Il était allé se coucher de bonne heure, prétextant la fatigue du voyage. Il avait espéré que le coupable ferait peut-être quelque chose sans plus attendre, mais rien ne s'était produit et il en éprouvait une légère déception.

— Ils m'évitent, reprit-il, c'est visible.

Elle fit un geste d'ignorance.

— Je ne comprends pas. Je crois qu'ils en ont tous assez de vivre ici... Avant, il y avait l'excitation des recherches... Maintenant, il faudrait nous proposer très vite un nouveau but ou bien nous envoyer en vacances.

— Le contrat que vous avez tous signé est valable un an.

— Je sais, répondit-elle.

Avec une immense lassitude.

— Avez-vous réfléchi à ce que je vous ai demandé hier ?

— À quoi ?

— À celui d'entre vous qui ferait le meilleur suspect...

Elle secoua négativement la tête.

— Je n'aime pas moucharder.

— Personne n'aime ça, mais essayez de vous rendre compte que notre sécurité à tous est en jeu. C'est une affaire d'espionnage, pas une affaire de droit commun.

Elle resta silencieuse un moment. Hubert vit Master Jack sortir du bâtiment d'habitation et disparaître. Le vent soufflait toujours de l'est, soulevant la poussière du sol. Hubert avait les muqueuses desséchées.

— Karl Biedermann, dit soudain la jeune femme, je ne vois que lui. Il jalousait Bryan et il voulait prendre sa place...

— Ne vous laissez pas emporter par vos rancœurs personnelles...

— Je ne me laisse pas emporter... Il y a plus grave : Karl a déclaré aux enquêteurs des services de sécurité que ses parents étaient morts. Ce n'est pas vrai. Ils sont toujours vivants et ils habitent Leipzig, en Allemagne de l'Est...

— Comment savez-vous cela ?

— C'est David qui me l'a dit et il le tient de Robina qui a servi plusieurs fois d'intermédiaire pour le courrier...

— Quel courrier ?

— Karl écrit à ses parents, mais il ne peut évidemment le faire lui-même, et il a besoin de complicités... On peut facilement imaginer que les Russes le font chanter en le menaçant de représailles sur sa famille. C'est classique, non ?

— Bien sûr, mais nous ignorons si le bénéficiaire des fuites est la Russie.

— Ne dites surtout pas que c'est moi qui vous ai raconté ça...

— Ne craignez rien...

Ils atteignirent le bâtiment d'habitation et le contournèrent pour gagner, derrière, l'entrée bétonnée de l'abri dont l'accès était commandé par un escalier de ciment qui s'enfonçait tout droit jusqu'à six mètres au-dessous de la surface du sol.

Carol alluma les lampes électriques et descendit la première. En bas, elle sortit la clé de la poche de sa blouse et ouvrit la lourde porte étanche.

— J'espère bien que nous n'aurons jamais à nous enfermer là-dedans, murmura-t-elle en frissonnant.

Elle manœuvra les interrupteurs et tout s'éclaira.

— Ici, c'est la salle de séjour, à côté le dortoir, au fond les toilettes, la réserve de vivres et de matériel, et l'appareil de conditionnement d'air. Il y a également une douzaine de grosses batteries pour assurer l'éclairage en cas de panne du groupe électrogène de surface et même une bicyclette montée sur un bâti et reliée à une dynamo pour fabriquer du courant si les batteries venaient à s'épuiser avant que les secours aient pu arriver...

La salle était plaisante, les murs garnis de décors photographiques représentant des paysages des mers du sud. Hubert demanda :

— Quelqu'un parmi vous possède-t-il un Minox ?

Elle le regarda, un peu surprise, puis répondit :

— Karl, David et Igor en ont un... Bryan en possédait un aussi.

— Ils s'en servent beaucoup.

— Ils s'en sont servis beaucoup au début... Moins maintenant.

— Ils développent eux-mêmes ?

— Bien sûr.

— Ils ont de bons résultats ?

— Oui, jusqu'à l'agrandissement de 9x9, c'est bon.

— Je suppose qu'ils vous ont tous photographiée.

— Pas moi spécialement.

— Vous en avez chez vous ? J'aimerais les voir...

— Oui...

Elle était intriguée et cherchait visiblement à comprendre. Il y eut un silence. Hubert s'était déplacé et il se trouvait très près d'une boîte grillagée qui contenait vraisemblablement un haut-parleur. Il entendit un craquement métallique, puis un léger raclement de gorge et ensuite le souffle d'une respiration. Il reprit d'un ton parfaitement naturel :

— Les microfilms que nous avons interceptés ont été tirés d'un film de Minox et l'appareil qui a servi possède un défaut qui a rayé la pellicule d'une certaine façon... Vous comprenez ?

Elle hocha lentement la tête, arrangea son chignon et répondit :

— Fort bien.

Elle manifesta un certain embarras, regarda autour d'elle comme pour se donner une contenance, puis lança :

— On remonte ?

— Comme vous voudrez.

Ils se dirigèrent vers la porte et perçurent alors un bruit insolite, comme si quelqu'un avait dérapé sur une marche en voulant remonter précipitamment l'escalier. Carol était devant Hubert et elle lui fit perdre quelques précieuses secondes en ne dégageant pas le passage assez vite. Il fonça néanmoins, grimpant quatre à quatre, mais lorsqu'il sortit de l'abri bétonné, il ne vit personne.

Il attendit Carol, qui arriva essoufflée et visiblement effrayée.

— Qui était-ce ?

— Je ne sais pas, répliqua-t-il.

Elle lui tendit la clé de l'abri qu'il mit dans sa poche.

— C'est peut-être Master Jack, suggéra-t-elle. Il est curieux comme un chat et il a pu se demander ce que nous descendions faire dans l'abri...

Elle eut un petit rire gêné et ajouta :

— Il essaie toujours de nous surprendre dans nos chambres, Robina et moi.

Hubert sourit.

— Mettez-vous à sa place : une continence de six mois, ça doit lui monter à la gorge. De toute façon, nous allons le savoir facilement. Celui qui nous écoutait n'a pu disparaître que dans ce bâtiment...

Ils y allèrent. Master Jack était dans la cuisine, occupé à préparer une sauce de salade tout en fredonnant un negro spiritual. Il sourit largement en les voyant et les salua d'un retentissant :

— B'jour, m'sieur, dame.

— Vous avez vu quelqu'un entrer, à l'instant ? demanda Hubert.

— Moi, répliqua le Noir en cessant de tourner sa sauce, j'ai rien vu. Parole.

— Merci, dit Hubert.

Ils ressortirent. Toujours personne en vue.

— Faisons le tour du bâtiment, proposa Hubert. Vous passez de ce côté et moi par là.

Ils se séparèrent et se retrouvèrent à l'autre extrémité de la construction.

— Rien, annonça Carol.

— Dites-moi, j'ai vu un boîtier de haut-parleur dans l'abri, qu'est-ce que c'est ?

— Dans la salle ?

— Oui.

— C'est l'interphone. Quand vous appuyez sur le bouton de communication générale de votre appareil, celui de l'abri se trouve également relié...

— Est-il également relié séparément aux autres interphones ?

— Non, ce n'était pas utile. Cette installation a été faite parce que chaque semaine un de nous passe une matinée dans l'abri à vérifier le bon fonctionnement de tous les appareils et surtout celui du conditionnement d'air. Il fallait que le patron puisse l'appeler en cas de besoin.

— Je vois, dit Hubert. Je vais maintenant au bureau, allez chercher les photos dont nous avons parlé et apportez-les-moi...

— D'accord.

Il se dirigea rapidement vers l'autre bâtiment. Le vent pénétrait sous sa chemise flottante de toile indienne, séchant sa sueur. Il réfléchissait. Master Jack, cela ne pouvait être que lui, était descendu derrière eux pour les espionner dans l'abri, mais cela pouvait être mis au compte d'une curiosité maladive. Bien plus grave était le fait que quelqu'un d'autre eût écouté leur conversation au moyen de l'interphone. Si ce quelqu'un était Biedermann, cela venait confirmer les soupçons de Carol et un grand pas serait ainsi fait sur le chemin de la vérité.

Il entra dans le bâtiment et referma la porte sans faire de bruit. Il parcourut le couloir, toujours silencieusement, et ouvrit la porte de son bureau.

Igor Volinsky était là, en train de fouiller dans le classeur. Il regarda Hubert et ne parut aucunement gêné.

— Je cherche un dossier dont j'ai besoin, expliqua-t-il.

— Je vous en prie, dit Hubert.

Qui vint s'asseoir à sa place.

— Où est Robina ? reprit-il.

— Quand je suis monté, elle était dans le laboratoire. Karl avait quelque chose à lui dicter.

Il consulta sa montre et ajouta :

— Voilà dix minutes que je suis monté... Elle ne doit plus en avoir pour longtemps.

— Les autres sont en bas ?

— Oui, Karl et David... Carol était avec vous ?

— Oui.

Ainsi, il fallait admettre que c'était Volinsky qui avait écouté leur conversation par l'interphone dans l'abri. Cela n'éclaircissait pas l'horizon, bien au contraire.

Igor Volinsky fit entendre un claquement de langue irrité.

— Je ne trouve pas ce fichu dossier.

— On l'a peut-être volé ? suggéra Hubert.

Volinsky se retourna, regarda Hubert comme s'il voulait savoir si celui-ci plaisantait ou non. Il sourit, un peu sarcastique.

— Il n'y a pas de kleptomane ici, répliqua-t-il.

— Vous avez raison, reprit Hubert, on ne vole pas de dossiers ; on se contente de les photocopier. C'est moins risqué, croit-on...

Volinsky repoussa d'un coup de fesse le tiroir resté ouvert derrière lui, puis il se caressa pensivement la barbe.

— On m'a dit que vous étiez un agent des services spéciaux, lança-t-il soudain.

Hubert ne s'attendait pas à cette attaque. Il resta néanmoins de marbre.

— Qui vous a dit cela ?

Suave, Volinsky répliqua :

— On m'a dit aussi que c'était un secret.

— Qui vous a dit cela ?

Volinsky devint franchement ironique :

— Si c'est un secret, vous n'avez dû le confier qu'à une seule personne. Alors ?

— Et si je l'avais confié à plusieurs ?

— Cela ne serait plus un secret.

— Vous pourriez donc me donner le nom de la personne qui vous l'a confié ?

— Non.

Volinsky avait cessé de sourire. Hubert resta un instant silencieux. Il s'était laissé surprendre et il n'aimait pas se trouver dans cet état provisoire d'infériorité. Il lui fallait reprendre l'initiative.

— On vous a dit autre chose ? demanda-t-il.

— On m'a dit que vous croyiez que Bryan n'était pas mort accidentellement, mais assassiné... et que vous étiez venu pour démasquer son assassin.

Hubert hocha lentement la tête.

— C'est vrai. Mais il faudrait ajouter que l'assassin de Bryan est aussi, très sûrement, un espion... et que c'est surtout l'espion qui m'intéresse.

Volinsky avait sorti une cigarette de sa poche et en tassait le tabac sur le dos de sa main gauche. Il se mit à rire.

— Un espion, ici ? Très drôle !

— Pourquoi ?

Volinsky prit le temps d'allumer sa cigarette, puis il mit les mains dans les poches de sa blouse et fit quelques pas vers le centre de la pièce.

— D'abord, répondit-il enfin, parce que nous avons tous été soigneusement passés au crible par les services de sécurité avant d'être envoyés ici... Ensuite, parce que nous travaillons uniquement sur des formules piquées aux Russes et que ceux-ci ne sont tout de même pas fous au point de se donner du mal pour récupérer des trucs qu'ils connaissent par cœur.

— Je ne suis pas de votre avis, dit Hubert. D'abord, parce que cela peut grandement intéresser les Russes de savoir si nous avons trouvé des parades efficaces à certaines de leurs armes, ce qui rendrait celles-ci caduques... Ensuite, parce que rien ne prouve que notre espion soit un agent russe. Il peut aussi bien travailler pour une autre puissance.

— Vous n'arriverez pas à me convaincre.

Hubert fit un geste de la main signifiant que cela lui était bien égal.

— Vous êtes d'origine russe, n'est-ce pas ?

— Mes parents était russes, et mes grands-parents et mes arrière-grands-parents.

— Quels sont vos sentiments à l'égard de l'actuelle Russie ?

— C'est le pays de mes ancêtres et je suis fier de la voir arrivée en tête du progrès scientifique.

— Vous êtes citoyen des États-Unis...

— Naturalisé, oui.

— En cas de conflit ouvert entre la Russie et les États-Unis, quelle serait votre attitude ?

Volinsky haussa les épaules, ôta sa cigarette de sa bouche et répondit :

— Vous savez, pendant les deux guerres mondiales, un certain nombre d'Allemands devenus citoyens des États-Unis se sont trouvés dans cette situation désagréable, et je crois que la grande majorité est restée fidèle à sa nouvelle patrie...

— Cela ne répond pas à ma question.

Hubert se sentait mieux. Il avait repris l'avantage et c'était maintenant à l'autre d'être sur la défensive.

— Je ne pense pas, éluda Volinsky, qu'une guerre nucléaire me laisserait même le temps d'un débat de conscience. Alors...

Hubert sourit.

— Une dernière question : si un agent soviétique vous demandait de lui fournir des renseignements sur ce qui se passe ici... que feriez-vous ?

— Je refuserais.

— Et s'il parvenait à vous convaincre qu'en livrant certains renseignements vous contribueriez grandement au maintien de la paix dans le monde ?

Volinsky fit la moue. Il se déplaça et se laissa glisser dans un fauteuil. Les jambes croisées, les doigts joints en forme de dôme, un œil à demi fermé à cause de la fumée de sa cigarette qui montait verticalement, il répliqua doucement :

— Je ne suis pas un homme facile à convaincre... Mais raisonnons dans l'absurde... Si j'étais VRAIMENT persuadé, je crois que je le ferais.

Impassible, Hubert ne cessait d'observer son interlocuteur ; mais son regard était sans expression.

— Je vous remercie de votre franchise, dit-il.

Un peu agressif, Volinsky riposta :

— Vous me prenez pour un salaud.

— Sûrement pas. Un homme sincère n'est jamais un salaud ; il peut simplement se tromper, comme tout le monde. Aimeriez-vous travailler en Russie ?

— Vous aviez dit que c'était la dernière question.

— Excusez-moi.

Igor sourit.

— Je vais tout de même vous répondre... Il est possible que le peuple soviétique soit moins libre que celui des États-Unis ; je veux bien le croire... Mais ce dont je suis tout à fait sûr, c'est que les hommes de science travaillant pour la défense nationale jouissent de beaucoup moins de liberté aux États-Unis qu'en Union soviétique.

Hubert se gratta la nuque.

— Je suis d'accord avec vous ; mais cela découle, paradoxalement, de la plus grande liberté qui règne chez nous. Il est relativement facile d'entrer aux États-Unis et encore plus facile d'y rester et d'y circuler. Il faut donc établir les barrages autour des laboratoires de recherche... En Russie, le barrage est aux frontières, en tout cas beaucoup plus éloigné qu'il ne peut l'être chez nous, si bien que là-bas les services de sécurité n'ont pas besoin d'imposer de grandes restrictions aux déplacements des savants.

Igor soupira.

— Je sais, mais le fait lui-même demeure et c'est pourquoi nous avons vu, depuis un certain temps, des savants occidentaux choisir la liberté... à rebours.

Hubert questionna d'un ton neutre :

— Y avez-vous songé quelquefois pour vous-même ?

Igor ôta sa cigarette de sa bouche et regarda Hubert bien en face.

— Rien ne m'interdit d'y songer... Cela dit, je ne crois pas que les Russes m'accepteraient si facilement. Ils se méfieraient.

— Vous pourriez gagner leur confiance.

— Je ne vois pas comment.

Hubert prit un crayon, dessina un cercle sur

un bloc de papier et lança d'un ton parfaitement naturel :

— En leur fournissant des renseignements.

Igor Volinsky tressaillit, puis il se leva brusquement, fit quelques pas vers la fenêtre, s'immobilisa, montrant le dos à Hubert.

— Je me demandais où vous vouliez en venir, dit-il d'une voix basse et frémissante. Maintenant, je suis fixé...

Hubert traça une croix dans le cercle, sans cesser pour autant de surveiller Volinsky du coin de l'œil.

— Pourquoi me soupçonnez-vous ?

Volinsky se retourna et regarda de nouveau Hubert. Celui-ci répliqua d'un ton léger :

— Je soupçonne tout le monde.

CHAPITRE

8

Glenn Gordon et Richard Beaumont burent quelques gorgées du champagne californien que le steward venait de leur servir. L'avion était aménagé comme un wagon-restaurant, avec des tables pour quatre, disposées de part et d'autre du couloir central. En face des deux G.men, deux jeunes femmes en résidence à Reno pour cause de divorce discutaient des cruautés mentales comparées de leurs futurs ex-époux.

Les parois de l'avion étaient décorées de scènes de westerns, des haut-parleurs diffusaient sans arrêt depuis le départ des airs folkloriques endiablés du Far West que deux jeunes femmes accompagnaient de la voix en circulant dans le couloir. L'une était habillée en *squaw*, avec un magnifique chapeau à plumes, l'autre en *cow-girl* de fantaisie, simplement vêtue d'un soutien-gorge et d'un slip plutôt réduits, agrémentés d'un holster de ceinture garni d'un colt en matière plastique, et de bottes de cuir demi-courtes. Dans le fond de l'avion, deux gros hommes aux visages pareillement congestionnés jouaient avec les machines à sous miniatures installées là [1].

Frank Kinschler était à l'avant, tournant le dos aux G.men qui pouvaient ainsi le surveiller sans difficulté. Il avait refusé le champagne, résisté aux tentatives de ses compagnons de table pour lier conversation avec lui et se tenait plongé dans la lecture d'un livre de poche.

Dix minutes s'écoulèrent encore dans cette atmosphère étonnante, puis la musique s'arrêta, les haut-parleurs annoncèrent que l'avion allait atterrir à Las Vegas et prièrent les passagers de cesser de fumer et d'attacher les ceintures. Les employés firent promptement disparaître les bouteilles et les verres. La musique reprit, un ton en dessous. Gordon, assis près d'un hublot, se pencha et regarda la terre, le désert.

L'avion se posa quelques minutes plus tard. Gordon et Beaumont descendirent dans les premiers. Un certain nombre de voyageurs, comme eux sans bagages, se dirigèrent aussitôt vers la sortie devant laquelle attendaient les voitures des grands hôtels. Ils s'arrêtèrent sur

1. On les enlève lorsque l'avion franchit les frontières du Nevada.

le trottoir, Beaumont guettant l'apparition de Kinschler, Gordon essayant de découvrir dans la foule le collègue demandé et promis.

— Le voilà, dit soudain Beaumont. Il va prendre un taxi.

Gordon tourna la tête et vit Kinschler qui marchait vers la file des taxis. À ce moment précis, quelqu'un lui toucha l'épaule, s'exclamant joyeusement :

— Hello, vieux frère ! Content de te voir.

Il pivota rapidement et reconnut Robert Delapenha, un inspecteur du bureau de Las Vegas, qui était habituellement un de ses plus redoutables concurrents dans les championnats de tir de la côte ouest.

— Hello, Bob. Tu tombes bien.

Il le mit rapidement au courant de l'essentiel, cependant que Beaumont notait le numéro du taxi qui emportait Kinschler. La voiture du service était à deux pas. Ils y coururent. Robert Delapenha démarra aussitôt et enfonça l'accélérateur, dépassant tous les autres véhicules.

Ils eurent vite fait de rattraper le taxi qui transportait Kinschler. Delapenha ralentit et prit la filature à bonne distance. Il était une heure de l'après-midi et la température était torride. Toutes vitres baissées, les trois hommes évitaient le contact avec le dossier des banquettes et s'épongeaient régulièrement le visage.

— Avertis le bureau que tu restes avec nous jusqu'à nouvel ordre, dit Gordon.

— C'est d'accord comme ça. Tu peux seulement prévenir que vous êtes arrivés.

Glenn Gordon sortit le combiné de la boîte à gants, alluma le poste, demanda :

— Indicatif ?

— Bingo quatre à Bingo un, répondit Delapenha.

— Bingo quatre appelle Bingo un...

La communication immédiatement établie, Gordon annonça qu'ils avaient trouvé Delapenha et qu'il le gardait avec la voiture pour une filature qui pouvait durer longtemps. Après quoi, il raccrocha.

Ils étaient dans la ville, que l'heure médiane semblait avoir provisoirement privée de son habituelle activité. Fremont Street était presque déserte. Le taxi de Kinschler s'arrêta au numéro 1028, au motel *Franklin.* Delapenha continua cent mètres encore puis arrêta la voiture le long du trottoir. Il sortit d'une poche de portière un petit guide à l'usage des automobilistes, le feuilleta et le tendit à Gordon, ouvert à la bonne page. Gordon lut : « *LAS VEGAS, NEV, FRANKLIN MOTEL, 1028 Fremont St., on US93, 95 et 466, 5 blks. East of business center. Within walking distance to Clubs. J. T. et Albert Franklin, owners et mgrs. (RP ; RAC ;*

SP ; K ; NPA.) Tel. DUdley 2-3500. » Il traduisit à haute voix les sigles de la fin :

— Téléphone dans les chambres, air conditionné, piscine, cuisines dans certaines cabines, couples irréguliers non acceptés[1].

— On peut déjà être sûr qu'il ne vient pas pour rencontrer une poule, remarqua Richard Beaumont, qui, à demi tourné sur la banquette arrière, surveillait l'entrée du motel.

Delapenha prit le combiné dans la boîte à gants et rappela le bureau.

— Bingo quatre à Bingo un... Bingo quatre appelle Bingo un...

— Bingo un vous entend cinq sur cinq, Bingo quatre, allez-y.

— Cherchez tous les renseignements que nous possédons sur le *Franklin Motel* et communiquez-les-moi aussitôt. Terminé.

— Okay, Bingo quatre. On vous rappelle. Terminé.

Delapenha remit le combiné en place et laissa le poste sur la position écoute permanente. Ils bavardèrent de choses diverses pendant cinq minutes et principalement du prochain concours de tir organisé par la FBI Recreation Association à San Francisco. Puis le

1. Traduction de NPA : *no pets accepted*, littéralement, les « chéries » ne sont pas admises.

bureau se fit de nouveau entendre. Les propriétaires directeurs du *Franklin Motel* faisaient l'objet des meilleurs renseignements et paraissaient dignes de confiance.

— J'y vais, décida ensuite Glenn Gordon. Je vais essayer d'avoir une cabine à côté de la sienne. S'il repartait et que je ne puisse vous rejoindre à temps, suivez-le sans m'attendre. Liaison par le bureau.

Il quitta la voiture, revint à pied jusqu'au motel et pénétra dans le bureau. Par une porte ouverte dans le fond, il vit un homme qui mangeait un sandwich en regardant la télévision. L'homme se leva et vint vers Gordon.

— Il nous reste encore quelques bonnes cabines, si c'est ça que vous désirez, dit-il.

Glenn Gordon lui montra sa plaque du FBI et se présenta.

— À votre service, répondit l'homme. Nous sommes d'honnêtes citoyens.

— Je le sais, dit Gordon, c'est pour ça que je m'adresse à vous sans détour. Un homme sans bagages vient d'arriver, il n'y a pas dix minutes...

— Cabine 14, indiqua l'homme en poussant le registre vers Gordon.

Le G.man examina le livre. Kinschler s'était inscrit sous le nom d'Ernest A. Davies, commerçant, domicilié 1131, Mission Street à San Francisco.

— Je voudrais louer une cabine voisine, demanda Gordon.

— Vous avez le choix : la 13 ou la 15, les deux sont libres.

— Je prends les deux.

— Ce type m'a dit qu'un de ses amis devait venir le voir vers quatre heures.

— Okay, dit Gordon.

Il sortit deux billets de dix dollars de sa poche, les poussa vers l'homme qui lui rendit la monnaie.

— Je reviens dans une minute, dit-il, je prendrai la clé.

Il repartit et rejoignit la voiture du service.

— Il est au 14 et il attend quelqu'un vers quatre heures. J'ai loué le 13 et le 15. Il nous faudrait maintenant en double un bon matériel d'écoute et d'enregistrement. Vous allez demander par radio qu'on vous apporte ça ici, Bob, dans deux valises. Je veux des valises ordinaires, ni trop moches ni trop voyantes.

Robert Delapenha appela le bureau et transmit les exigences de Gordon.

Deer Castle, deux heures de l'après-midi.

Hubert pensait à Igor Volinsky. Curieux personnage, qui pouvait être classé a priori comme une bonne graine d'espion. Mais sa franchise plaidait plutôt en sa faveur...

— Hubert ?

— Oui.

Carol Ansell appelait de son bureau.

— Vous pouvez venir ?

— J'arrive.

Il passa d'une pièce dans l'autre. Carol avait classé toutes les photographies prises au moyen d'un Minox qu'elle avait pu retrouver dans sa chambre.

— Celles-ci ont été prises par Igor, indiqua-t-elle en touchant une pile... celles-là par David... Karl... Bryan.

Hubert alluma la lampe de bureau pour y voir plus clair et regarda les photographies l'une après l'autre, replaçant soigneusement les tas dans l'ordre. Lorsqu'il eut fini, il garda le dernier paquet dans la main.

— Vous êtes sûre que celles-ci ont bien été prises par Dunn et avec son appareil ?

— Sûre et certaine. Je pourrais me tromper sur les autres, mais pas sur celles-là...

Elle le regarda et reprit :

— Vous en faites, une tête ! Qu'est-ce qui ne va pas ?

— Ce qui ne va pas, c'est que les photos prises par Dunn avec son appareil sont les seules à être marquées de cette rayure verticale que l'on trouve sur les photocopies de documents interceptées à San Francisco.

Carol Ansell pâlit.

— Ce n'est pas possible, protesta-t-elle.

— Il n'y a malheureusement aucun doute, assura Hubert.

Elle réfléchit un instant, puis suggéra :

— On se serait servi de son appareil ? Il le laissait souvent dans un tiroir de son bureau et tout le monde le savait.

Il eut l'impression qu'elle mentait. Il allait le lui dire lorsque quelqu'un frappa et entra dans le bureau directorial.

— Y a personne ?

La voix de David Saker. Hubert fit deux pas pour se montrer dans le cadre de la porte ouverte.

— Vous désirez quelque chose ? s'enquit-il.

— Je voudrais vous parler, répondit Saker qui jouait en grimaçant avec ses lunettes.

Hubert regarda Carol, qui se leva aussitôt.

— Je descends au laboratoire, annonça-t-elle. Si vous avez besoin de moi, appelez-moi par l'interphone.

Elle passa devant lui et sortit sans prêter la moindre attention à David Saker qui s'inclinait pourtant avec un sourire ironique, la main sur le cœur, pour saluer sa sortie. Hubert rejoignit son bureau et s'y installa. Carol referma la porte en sortant.

— Asseyez-vous, dit Hubert. Quel bon vent vous amène ? Je commençais à croire que vous m'évitiez.

David Saker tendit un paquet de cigarettes.

— Non, merci, dit Hubert, je ne fume pas.

David Saker se servit, remit le paquet dans sa poche, sortit son briquet. Hubert, qui l'observait avec attention, remarqua que ses mains tremblaient légèrement.

— Asseyez-vous, répéta-t-il.

— Non, merci, je préfère rester debout, assura l'autre.

Il tira nerveusement quelques bouffées de sa cigarette qu'il conserva ensuite entre le majeur et l'index de la main droite, puis s'appuya sur le bureau, penché vers Hubert.

— Il faut que je vous dise...

Il s'interrompit, jeta un coup d'œil sur les boutons de l'interphone et se mit à rire ; un rire haut perché, agaçant.

— Hier soir, reprit-il, vous avez dû appuyer par mégarde sur le bouton de communication générale. Tout le monde vous a entendu raconter à Carol que vous étiez un agent de la CIA et que vous étiez venu pour démasquer un espion qui serait en même temps l'assassin de Bryan...

Hubert fronça les sourcils et prit un air très, très ennuyé.

— Ce n'est pas vrai ?

David Saker se mit à rire.

— Si, si, je vous assure. C'était d'un drôle !

Il redevint brusquement sérieux, afficha une mine faussement consternée.

— Vous êtes vexé ? Je suis désolé.

Il tira coup sur coup trois brèves bouffées de sa cigarette qu'il ôta aussitôt de sa bouche.

— J'ai bien réfléchi et je pense qu'il est de mon devoir de vous aider. La sécurité, c'est la sécurité, c'est quelque chose d'important. Dieu sait que je n'aime pas moucharder, mais les circonstances commandent...

Il regarda derrière lui par-dessus son épaule, puis courut vers la porte en se dandinant sur la pointe des pieds. Il ouvrit le battant d'un mouvement brusque, parut un peu surpris de ne découvrir personne, referma et revint en riant presque hystériquement.

— J'avais peur que le salopard n'ait une oreille collée au trou de la serrure, expliqua-t-il.

— Qui est le salopard ? questionna tranquillement Hubert.

David Saker s'appuya de nouveau des deux mains sur le bureau et murmura :

— Bierdermann... Karl Biedermann... C'est un nazi, vous le saviez ? On l'a blanchi parce que c'est un très bon technicien, chapeau ! Mais, à part ça, c'est une ordure. Une ordure, vous entendez ?

Hubert observait ce visage déformé par la haine et il en éprouvait un certain malaise.

— Je crois savoir que vos parents sont morts dans une chambre à gaz d'un camp d'extermination nazi ? demanda-t-il.

David Saker devint blême et ferma les yeux. Il vacilla un instant, puis respira un grand coup.

— Oui, répondit-il, c'est la vérité.

— N'êtes-vous pas tenté d'inclure dans l'objet de votre ressentiment tout ce qui est d'origine allemande ?

— Ne croyez pas ça.

— Tous les Allemands ne sont pas des nazis.

— Karl Biedermann, lui, en est un.

— J'ai vu son dossier. Il n'a jamais appartenu au parti, ni à aucune organisation affiliée... Il a travaillé pendant la guerre dans un laboratoire de recherche, sur des gaz de combat qui n'ont d'ailleurs jamais été employés.

David Saker eut un mouvement de tête excédé.

— Mais tout ça, je m'en fous, répliqua-t-il.

Je connais Biedermann, moi, je sais ce qu'il vaut. C'est lui qui a tué Bryan. Sa chambre est voisine de la mienne. Cette nuit-là, je l'ai entendu rentrer très tard. D'où venait-il ? Hein ? Le lendemain, il avait un vrai visage de déterré et il nous évitait tous. Après, il s'est repris... Bien sûr.

David Saker grimaça, puis sortit un mouchoir de sa poche pour essuyer son visage soudain mouillé de sueur.

— Vous feriez bien d'interroger Robina. Elle en connaît, des choses, Robina... sur ce salaud. Ah !

Il écrasa d'un geste maladroit sa cigarette dans le cendrier.

— Qu'est-ce que vous pensez de Robina ? demanda Hubert.

David Saker sourit et son visage agité de tics se détendit.

— C'est une brave fille... Un peu conne sur les bords, mais tellement brave. Moi, je l'aime bien.

— Vous couchez avec elle ?

Il gloussa de nouveau.

— Pfut !... Tout le monde, ici, couche plus ou moins avec Robina. Elle a toujours peur de faire de la peine en refusant quelque chose à quelqu'un. Elle ne sait pas dire non.

Hubert sourit.

— Vous devez l'apprécier.

David Saker leva les bras.

— Vous pouvez pas savoir. Si on ne l'avait pas sous la main pour se défouler de temps en temps, y a belle lurette qu'on serait devenus dingues... Cette fille-là, on devrait la décorer pour services rendus au pays.

— Et Carol ?

Le visage de Saker changea d'expression. Il fit la moue et agita une main à hauteur de sa tête.

— Mme Carol ! Ça, c'est autre chose ! Mme Carol ne couche qu'avec les patrons... Mme Carol ne se mélange pas avec les sous-fifres.

— Vous semblez le regretter.

Il haussa les épaules, prit un air digne.

— Dame ! J'aimerais bien lui faire l'amour, je l'avoue.

Il grimaça, consulta sa montre, puis s'exclama :

— Merde ! Faut que je file. J'ai une expérience en cours. Salut, et n'oubliez pas... Biedermann !

Il se sauva en courant, laissant la porte ouverte. Hubert se leva pour aller refermer. Il conservait de cet entretien une étrange impression de malaise...

CHAPITRE

9

Las Vegas, seize heures.

Glenn Gordon examina une dernière fois l'installation d'écoute et d'enregistrement, les micros ultra-sensibles collés à la cloison et le magnétophone posé sur le tapis, prêt à fonctionner. Il consulta sa montre puis approcha de la fenêtre et regarda dans la cour à travers les rideaux.

Quelques très jolies filles se doraient au soleil autour de la piscine, dans laquelle s'ébattaient avec un plaisir évident des enfants et de tout jeunes gens. Gordon les envia, bien que l'air conditionné rendît la température de la chambre parfaitement supportable.

Il vit arriver une Pontiac d'un modèle assez ancien. Un homme d'une trentaine d'années, vêtu d'un blue-jean noir et d'une chemise polo beige, en descendit et marcha vers le bureau. Il ne resta que quelques secondes à l'intérieur et ressortit sans se presser. Il s'arrêta un instant près de la piscine, intéressé semblait-il par l'anatomie généreusement exposée des quelques créatures du sexe féminin réunies là. Puis il repartit et Glenn Gordon le vit approcher.

À cet instant, Richard Beaumont devait avoir pris une ou plusieurs photographies au téléobjectif. Il fallait penser que l'homme pouvait s'échapper...

L'inconnu frappa à la porte du 14. Gordon s'éloigna de la fenêtre, mit le magnétophone en marche et appuya son oreille contre la cloison.

Il entendit Kinschler ouvrir la porte et s'exclamer :

— Hello ! Jim... Comment ça va ?

— Hello, Ernie !... Comment ça va ?

Le nouveau venu entra. La porte se referma. Gordon entendit encore Kinschler et « Jim » se demander mutuellement s'ils avaient fait bon voyage. Puis ce que Gordon redoutait se produisit : Kinschler fit fonctionner la radio et la musique couvrit bientôt les voix.

Gordon alluma une cigarette et surveilla la bonne marche du magnétophone dont les bobines continuaient de tourner lentement. Un instant plus tard, il rejoignit la fenêtre et reprit l'observation de la cour. Une jolie blonde retenait plus particulièrement son attention : à plat ventre sur une grande serviette jaune d'or, elle avait défait son soutien-gorge afin que les bretelles ne laissent pas de traces blanches sur le bronze de son joli corps. Gordon se dit que cela serait bien le diable si elle n'éprouvait pas le besoin de se soulever un peu, pour une raison quelconque. Il passa l'ongle de son pouce sur sa lèvre inférieure et se mit à siffloter entre ses dents...

Quatre minutes s'étaient écoulées lorsque la musique s'arrêta dans une chambre voisine. Gordon écrasa dans un cendrier sa cigarette à demi consumée et cessa de surveiller la blonde pour tendre l'oreille...

— Eh bien, Jim, j'ai été content de vous voir. Bon retour et prenez soin de vous.

— Au revoir, Ernie. Et merci.

La porte s'ouvrit. Le dénommé Jim sortit et s'éloigna en direction de sa voiture. Il reprit le volant et démarra aussitôt vers le centre de la ville. Gordon vit une voiture du service le prendre en filature. Robert Delapenha la conduisait. Quelques minutes plus tard, Frank Kinschler quitta sa chambre. Gordon et Beaumont lui laissèrent prendre un peu d'avance et le suivirent. Ils le rattrapèrent à la station de taxis voisine.

— Au *Golden Nugget*[1], indiquait Kinschler avant de monter.

1. Maison de jeux, dans Fremont Street.

Les deux G.men l'encadrèrent. Gordon montra sa plaque.

— Inspecteur Gordon, du FBI... Frank Kinschler, vous êtes arrêté.

C'était sans aucun doute une surprise. Le premier moment de stupeur passé, Kinschler essaya de bousculer les deux hommes et de s'enfuir ; mais Beaumont veillait au grain. Il immobilisa aussitôt l'adversaire et lui passa les menottes.

Ils le firent monter dans le taxi et Gordon annonça au chauffeur médusé :

— Notre ami a changé d'avis... Conduisez-nous plutôt au FBI.

— Ouf ! répliqua l'homme. Je vous avais pris pour des gangsters.

Richard Beaumont resta sur le trottoir. Il avait à récupérer les appareils d'enregistrement et à les apporter d'urgence au bureau.

Deer Castle, dix-sept heures.

Master Jack avait apporté les cageots et les caisses vides près de l'aire d'atterrissage. Il bavardait avec Robina qui tenait à la main une grande enveloppe de papier brun contenant le courrier « départ ». Tous deux regardaient descendre l'hélicoptère en se protégeant de la main contre l'éblouissement du soleil déclinant.

Le bruit du moteur les obligea bientôt à se taire. Ils reculèrent pour échapper au souffle du rotor. Un nuage de poussière s'éleva du sol et ils ne virent plus rien. Lorsque le vacarme cessa, ils surent que l'appareil s'était posé. La poussière se dissipa. Le lieutenant Larry Barrows fit glisser en arrière la portière de l'habitacle, lança un « hello » retentissant, puis descendit à reculons en plaçant ses pieds dans les logements prévus à cet effet dans le fuselage.

Master Jack et Robina s'étaient approchés. Le pilote gratifia le grand Noir d'une claque amicale sur l'épaule, puis embrassa Robina sur la joue. Après quoi, il ouvrit la porte de la soute et dit à Master Jack :

— À toi de jouer, vieux. Moi, je vais demander à Robina de m'offrir une bière bien fraîche. Je crève de soif.

Il la prit par le bras et l'entraîna vers le bâtiment, cependant que le Noir pénétrait dans l'hélicoptère pour le décharger. Ils gagnèrent la salle de séjour. Barrows avait pris Robina par la taille et sa main glissait parfois sur la hanche rebondie de la jeune femme.

Robina se dégagea près du bar et sortit deux bières du réfrigérateur.

— Comment ça va, le nouveau patron ? questionna le pilote.

— Ça va, répondit laconiquement Robina.

Elle fit sauter les capsules et versa la bière dans les verres. Elle était penchée devant Barrows dont le regard plongeait sur un spectacle fort agréable.

— Tu ne portes pas de soutien-gorge ? remarqua-t-il d'une voix légèrement altérée.

Elle rit, se redressa et lui tendit un verre.

— Ça se tient bien tout seul, hein ? Alors, ce serait vraiment de l'argent foutu en l'air.

Il but à grands traits, reposa le verre, s'essuya la bouche d'un revers de main.

— Robina, reprit-il, tu es la plus jolie fille que je connaisse et...

Elle ondula de la croupe et le provoqua :

— Et ?

— Et je crois bien que j'ai un sentiment pour toi... J'en rêve la nuit.

— Si tu appelles ça un sentiment... Tu as envie de coucher avec moi, c'est tout.

— J'ai aussi envie de te bercer sur mes genoux.

— Voyez-vous ça !

Il franchit la distance qui les séparait et la prit dans ses bras. Elle se cambra, ce qui eut pour effet d'éloigner son buste mais de plaquer son ventre contre celui de l'homme.

— Hé ! fit-elle aussitôt. Tu ne te vantes pas.

Elle maintint néanmoins le contact. Il essaya

de l'embrasser sur la bouche, elle détourna la tête, lui livrant son cou, puis sa nuque.

— Dis-moi oui, Robina, ma chérie...

Il s'affolait, la coinçait contre le bar, la caressait avec passion.

— J'ai envie de toi, Robina.

— Je le sens bien.

— Dis oui, Robina.

Elle lui donna soudain ses lèvres, leurs dents se heurtèrent. Un instant plus tard, elle rejeta la tête en arrière et suggéra :

— Reste cette nuit. Master Jack te fera un lit ici et tu me rejoindras dans ma chambre quand tout le monde dormira...

— Tu sais bien que ce n'est pas possible... On pourrait peut-être maintenant, en glissant la pièce à Master Jack...

Elle le repoussa brusquement, visage fermé.

— Dis donc, pour qui me prends-tu ?

Il essaya de la ramener vers lui, mais elle lui échappa. Il la poursuivit autour du bar, la rattrapa, la saisit par-derrière à bras-le-corps. Elle se pencha en avant, tortillant des fesses et l'affolant davantage.

— Robina...

— Si tu le voulais vraiment, tu pourrais rester. Tu n'as qu'à dire que ton engin est en panne. Ça peut arriver, non ?

Il se figea. L'idée s'insinuait dans son esprit,

faisait son chemin... Robina pivota lentement tout contre lui, se haussa sur la pointe des pieds et lui murmura bouche à bouche :

— Si tu ne le fais pas ce soir, c'est que tu ne m'aimes pas et ce sera fini entre nous. Fini, entends-tu ?

— Je reste, annonça-t-il.

Elle le récompensa d'un baiser passionné et ils continuèrent de se caresser et de s'embrasser jusqu'à ce que le bruit du chariot sur lequel Master Jack transportait le ravitaillement les alertât. Ils reprirent une attitude plus décente. Barrows était écarlate et ses mains tremblaient légèrement. Robina se regarda dans le miroir, derrière les bouteilles, et remit sa coiffure en ordre. Barrows pensait maintenant à la façon dont il allait s'y prendre. Il tirerait plusieurs fois le démarreur sans avoir mis le contact, puis ferait semblant de chercher la panne dans le moteur. Lorsqu'il serait trop tard, à cause de la nuit tombante, pour qu'un hélicoptère de secours pût être envoyé de Hot Springs, il informerait la base par radio. Il passerait ainsi la nuit à Deer Castle, à faire l'amour avec Robina, et il serait temps d'aviser le lendemain matin...

CHAPITRE 10

Las Vegas, dix-huit heures.

Glenn Gordon et Robert Delapenha, penchés sur la visionneuse, examinaient l'un après l'autre les quarante-sept clichés apparus après développement sur le film trouvé sur Frank Kinschler. Quarante-six reproduisaient dans l'ordre les quarante-six pages d'une synthèse des travaux menés à bien à Deer Castle, le quarante-septième était la photographie d'un message codé écrit à la main, en majuscules, sur une feuille de cahier.

— Avez-vous un décrypteur, ici ? demanda Gordon.

— Non, répliqua Delapenha, nous n'avons pas ça en magasin.

— Alors, il faut absolument téléphoner tout de suite ce texte à San Francisco. S'ils arrivent à nous le mettre en clair, je suis sûr que nous aurons sérieusement avancé...

— Ce serait un commentaire du gars qui a pris ces photos ?

— Une lettre au destinataire, sûrement, et qui peut contenir des détails révélateurs.

Ils demandèrent le bureau de San Francisco et l'obtinrent en un temps record. Gordon dicta le texte du cryptogramme à la secrétaire du service du chiffre, avec toutes les instructions nécessaires. Lorsqu'il raccrocha, Delapenha lui signala qu'il y avait du nouveau concernant les enregistrements faits au *Franklin Motel.*

Ils avaient confié ces bandes à un ami personnel de Robert Delapenha, ingénieur du son et chef de la sonorisation d'un grand music-hall de Las Vegas qui possédait un équipement incomparable. Ils y allèrent en voiture. L'ingénieur, un grand type aux cheveux gris, s'appelait George Danforth. Il leur expliqua comment il avait procédé, éliminant progressivement par une série de filtrages, en partant des intensités les plus fortes, les bruits de la radio qui s'étaient superposés aux voix de Frank Kinschler et de son visiteur. Le résultat obtenu en si peu de temps n'était pas extraordinaire, mais la conversation était devenue parfaitement intelligible.

— C'est bien ce que vous vouliez ? s'enquit Danforth.

— Oui, répondit Gordon, nous n'avons pas besoin de hi-fi.

Ils emportèrent la bobine que leur remit

Danforth pour l'écouter au bureau sur un magnétophone du service. Ils entendirent les pas de Kinschler qui allait ouvrir la porte, puis les voix :

Kinschler : — Hello ! Jim...

Jim : — Hello, Ernie !... Comment ça va ?

La porte qui se refermait.

Kinschler : — Vous avez fait bon voyage ?

Jim : — Excellent, et vous ?

Kinschler : — Sans histoires, comme d'habitude.

C'était à ce moment-là que Kinschler avait tourné le bouton de la radio et la reproduction devenait moins bonne.

Kinschler : — Comme ça, les voisins ne pourront pas nous entendre. Vous avez le petit paquet ?

Jim : — Bien sûr... Voilà.

Kinschler : — Merci... Et voici vos honoraires. Voulez-vous compter ?

Jim : — Je vous fais confiance.

Kinschler : — Tout va bien à Hot Springs ? Pas d'ennuis avec les services de sécurité ?

Jim : — À Hot Springs, tout va bien ; mais ce n'est pas la même chose à Deer Castle. La semaine dernière, le directeur a été trouvé mort dans son bureau. Il paraît que c'était un accident, mais comment savoir ? La loi du silence a été bien observée. Un nouveau patron est arrivé hier, je n'ai pas encore pu savoir son nom...

Kinschler : — Aucune importance.

Jim : — J'ai lu dans les journaux qu'un certain Vilmos Krany avait été arrêté à San Francisco et qu'on avait trouvé sur lui des microfilms, des photocopies de documents en provenance d'un centre de recherche soviétique...

Kinschler : — Ah ! oui... J'ai lu ça, moi aussi.

Jim : — Il n'y a pas d'ennuis ?... Je veux dire : ce n'est pas quelqu'un de chez nous ?

Kinschler : — Ne vous occupez pas de ça. S'il y avait du danger, je ne serais pas ici.

Jim : — Je vous fais confiance. Repartez-vous maintenant ou bien restez-vous passer la nuit ici ?

Kinschler : — Cela ne vous regarde pas.

Jim : — Excusez-moi, je ne voulais pas être indiscret. Moi, je ne rentrerai que demain. J'ai pu obtenir une permission de vingt-quatre heures.

Kinschler : — Je ne vous demande rien.

Jim : — Excusez-moi.

Kinschler : — Vous parlez trop, mon vieux. Il faut apprendre à vous taire. La diarrhée verbale est un vilain défaut pour des gens comme nous... Dangereux.

Jim : — Je sais, je me surveillerai.

Kinschler : — Je vous le conseille. Maintenant, vous allez repartir. Rendez-vous dans un mois selon les normes habituelles.

Jim : — D'accord. Dans un mois... Au revoir.

Kinschler : — Prenez soin de vous.

Des pas, un bruit de chaise déplacée.

Jim : — Il y a une blonde du tonnerre près de la piscine, qui a ôté son soutien-gorge. Dommage qu'elle soit à plat ventre. J'ai envie de crier sauve-qui-peut en passant près d'elle, pour voir si elle se lève.

Kinschler : — Laissez les femmes tranquilles, mon vieux. Si ça vous monte à la gorge, soulagez-vous avec une putain. Vous la payez et bonsoir. Pas de liaison, mon vieux, c'est trop dangereux. Quand vous en avez marre et que vous voulez rompre, elles en savent toujours assez pour vous faire épingler...

Jim : — Je disais ça comme ça...

Un silence. Kinschler avait éteint la radio.

Kinschler : — Eh bien, Jim, j'ai été content de vous voir. Bon retour et prenez soin de vous.

Jim : — Au revoir, Ernie. Et merci.

Des bruits de porte. C'était fini. Gordon arrêta le magnétophone.

— Il faudrait faire taper ça en plusieurs exemplaires, dit-il. As-tu une secrétaire sous la main ?

— Ça peut se trouver en cherchant bien, répliqua Delapenha.

Glenn Gordon prit le magnétophone et l'emporta dans une pièce voisine où Richard Beaumont s'occupait des préliminaires avec le pseudo-Jim qui faisait piteuse mine. Gordon posa le magnétophone sur la table, à côté des divers objets trouvés dans les poches de l'homme. Près d'une liasse de billets de dix dollars qui devait représenter le prix de la trahison, une carte d'identité apprit à Gordon que « Jim » était en réalité Norman Babins, vingt-huit ans, caporal-chef, aide-cuisinier à la base militaire aérienne de Hot Springs.

Gordon brancha le magnétophone, et dit à Norman Babins, qui l'observait avec inquiétude :

— Je vais vous faire écouter quelque chose, monsieur Babins. En priorité... Votre complice n'y a pas encore eu droit.

Deer Castle, sept heures trente du soir.

La nuit tombait. Des écharpes rose et mauve traînaient dans le ciel vers l'ouest. Hubert referma la porte du bâtiment administratif et prit la direction du bâtiment d'habitation où tous les autres se trouvaient réunis depuis longtemps déjà.

Hubert réfléchissait. Si cette histoire de parents encore vivants en Allemagne de l'Est était vraie, Biedermann était le suspect numéro un... Venait ensuite Volinsky, lequel ne cachait pas ses sympathies pour le pays de ses ancêtres... Et puis Saker, avec ses complexes, ses haines et ses nerfs malades.

Master Jack faisait l'objet des meilleurs renseignements au point de vue national. Il avait fait une guerre magnifique, puis avait été longtemps le chauffeur d'un général très connu décédé récemment. Master Jack était apparemment le moins suspect, mais qui pouvait savoir ? Quelqu'un pouvait avoir commis une injustice à son égard, il pouvait être secrètement travaillé par cette irritante question raciale...

Les femmes ? Robina Lacas était probablement une nymphomane, mais tous s'accordaient à louer sa gentillesse et sa franchise naturelles. L'espionnage ne devait pas être son genre... Carol ? Elle avait la classe nécessaire, mais c'était une Yankee, une Américaine de vieille souche, originaire de Boston. Pour quels motifs aurait-elle pu trahir ?

Une heure plus tôt, apprenant que l'hélicoptère était en panne et que le lieutenant Larry Barrows allait passer la nuit à Deer Castle, Hubert avait cru tenir une nouvelle piste. Il avait interrogé Carol et appris ainsi que pareille chose ne s'était jamais produite auparavant et que jamais jusqu'à ce jour une personne étrangère n'avait passé une seule nuit au centre.

Il eut froid soudain et pressa le pas. La silhouette étrange de l'hélicoptère se découpait en ombre chinoise sur les fonds clairs qui persistaient à l'ouest. Les fenêtres du bâtiment d'habitation étaient presque toutes éclairées. Soudain, la porte s'ouvrit. Dans la lumière du couloir, Hubert reconnut Karl Biedermann qui sortait, vêtu d'un duffle-coat. La porte refermée, Biedermann partit à droite. Il n'y avait rien dans cette direction et Hubert pensa qu'il allait faire une promenade afin de se dégourdir les jambes.

Hubert avait froid, mais il avait aussi envie de suivre Biedermann et la curiosité l'emporta. Il obliqua sur la gauche. Il se trouvait du côté de la nuit, par rapport à l'autre, et il était peu probable que celui-ci l'aperçût.

Biedermann marchait vite sur le sol caillouteux et malaisé. Il allait droit vers le bord le plus proche du plateau qui remontait en cuvette avant de plonger à pic dans la vallée.

Il parcourut environ trois cents mètres et s'arrêta, là où le terrain commençait à remonter. Hubert, qui éprouvait maintenant de la peine à le distinguer, continua de se rapprocher. Biedermann s'était accroupi et Hubert eut l'impression qu'il creusait le sol.

Pareille occupation, à pareille heure et en pareil endroit, pouvait paraître bizarre. Hubert décida d'en avoir le cœur net. Il manœuvra pour aborder Biedermann par-derrière et l'interpella, alors qu'il n'était plus qu'à dix mètres.

— Qu'est-ce que vous fabriquez là ?

Hubert entendit Biedermann aspirer bruyamment sous le coup de la frayeur, puis il le vit essayer à deux reprises de ramasser quelque chose à côté de lui et un peu en retrait ; enfin, bondir sur ses pieds et se sauver à toutes jambes.

Le premier réflexe d'Hubert fut de le poursuivre, mais il pensa aussitôt que le fuyard ne pourrait aller loin et qu'il serait toujours facile de le retrouver sur ces vingt hectares de terrain nu, sans cachette, sans évasion possible. Beaucoup plus intéressant était de savoir ce qu'il était venu faire là.

Hubert approcha de l'endroit où s'était accroupi Biedermann et alluma sa lampe-stylo pour éclairer le sol. L'ingénieur avait creusé, sans doute avec ses mains, un trou de la grandeur d'une soupière. À un mètre cinquante de ce trou était un paquet à demi défait.

Hubert mit sa lampe entre ses dents pour se libérer les mains, plia les genoux et saisit le paquet. C'était pesant par rapport au volume. Hubert ôta le papier d'emballage et découvrit un cendrier.

Un lourd cendrier de cristal, de forme triangulaire, taillé à facettes comme un diamant, avec trois pointes redoutables dont chacune pouvait avoir défoncé le crâne de Bryan Dunn.

Hubert resta un long moment assis sur ses talons, sans bouger. Il essayait de comprendre pourquoi, alors qu'il savait depuis la veille que l'on soupçonnait quel genre d'objet avait été utilisé pour tuer Bryan Dunn, Biedermann avait attendu vingt-quatre heures pour s'en débarrasser, alors qu'il aurait pu le faire la nuit précédente.

Hubert refit le paquet. Il n'avait pas touché au cendrier lui-même afin de ne pas superposer ses propres empreintes à celles qui pouvaient s'y trouver. Il se remit debout et reprit la direction du bâtiment administratif.

L'atmosphère était immobile, il n'y avait plus la moindre brise, ce qui était assez extraordinaire dans cette région. On aurait dit que la nature elle-même retenait son souffle, alors que l'affaire prenait un tour plus dramatique.

Hubert marchait vite pour se réchauffer, mais il ne cessait pas d'être sur ses gardes. Le premier mouvement de panique passé, Biedermann pouvait fort bien décider une contre-attaque afin de reprendre cette terrible pièce à conviction qu'il avait abandonnée.

Il faisait maintenant tout à fait nuit et Hubert avait éteint et remis sa lampe dans sa poche afin de passer autant que possible inaperçu. Il redoubla de prudence aux abords du bâtiment administratif. Tout était tranquille. L'écho d'une musique très rythmée arrivait, très atténué, du bâtiment d'habitation.

Hubert ouvrit la porte. Elle était munie d'une serrure, mais il semblait que la clé en avait été perdue depuis longtemps. Il referma et s'éclaira au moyen de sa lampe-stylo. Il ne voulait pas allumer les lampes afin de ne pas signaler sa présence.

Il parcourut toute la longueur du couloir, passa dans son bureau et entra dans celui de Carol Ansell. Il ne faisait aucun bruit avec ses semelles de caoutchouc et tout était parfaitement silencieux.

Il ouvrit le coffre, y déposa le paquet contenant le cendrier, referma, brouilla la combinaison et remit la clé dans sa poche. Il revint dans son bureau, éclaira l'interphone et appuya sur le bouton de communication générale. Une musique endiablée jaillit aussitôt du haut-parleur, couvrant tous les autres bruits. Il coupa et ouvrit le tiroir réservé au pistolet automatique et à la clé de l'abri...

Le tiroir était vide.

Un sourire cruel retroussa les lèvres pleines d'Hubert et son rude visage de prince pirate se contracta. L'adversaire attaquait, c'était parfait. La bagarre, la vraie bagarre allait enfin commencer.

Un bruit sec le fit soudain sursauter. On aurait dit le claquement d'un pène trop brusquement relâché dans son logement. Hubert retint son souffle, éteignit sa lampe. Le silence devint oppressant. Hubert n'entendait plus que les battements de son cœur. Il pensa que le bruit pouvait avoir une origine naturelle ; un baraquement préfabriqué travaille toujours et...

Une idée lui vint. Il coiffa l'extrémité lumineuse de sa lampe avec sa main gauche mise en conque et l'alluma, ne projetant ainsi qu'un faisceau très étroit sur le tableau de l'interphone. Il entreprit ensuite d'appuyer successivement sur les boutons correspondant aux autres bureaux du bâtiment...

Le bureau de Biedermann était silencieux... Celui de Volinsky aussi... Également celui de Saker... Hubert appuya sur le bouton marqué « ROBINA ».

Cette fois, ce n'était plus silencieux. Des bruits légers sortaient du haut-parleur, difficiles à identifier... Des frôlements, des craquements, des heurts, tout cela de faible intensité. Hubert écouta pendant une dizaine de secondes, puis lâcha le bouton. Il venait de penser que l'émetteur-récepteur de radio se trouvait dans le bureau de Robina.

Il se déplaça, sans hâte excessive, prenant surtout soin de ne rien heurter, et sortit avec précaution. Le couloir était obscur. Un mince filet de lumière passait sous la porte du bureau de Robina. Hubert approcha, se guidant de la main contre la cloison. Il se pencha, regarda par le trou de la serrure. La clé était à l'intérieur, mais inclinée de telle façon que le regard pouvait passer Hubert ne vit qu'une ombre qui bougeait.

Il se redressa, saisit la poignée, tourna et poussa. La porte refusa de s'ouvrir. Il n'avait pas songé qu'elle pouvait être fermée à clé et c'était sans doute trop tard car il avait fait du bruit.

Deux secondes plus tard, la lumière s'éteignit. Hubert fonça dans le couloir, toujours à tâtons, vers la sortie. Il ouvrit la porte, se retrouva dehors et courut à gauche pour contourner le bâtiment. La détonation sèche d'un 22 LR l'accueillit au coin. Il entendit le choc de la balle dans le bois du bâtiment, à hauteur de sa tête. Il recula pour se mettre à l'abri. Un long silence s'ensuivit. Puis il y eut des bruits de pas, rapides et furtifs. Et de nouveau le silence.

Hubert longea le bâtiment, prêt à plonger si l'adversaire lui tirait encore dessus. Il comptait les fenêtres et il arriva ainsi devant celle du bureau de Robina. Elle était ouverte.

Hubert l'escalada et pénétra dans la pièce. Il alluma sa lampe et en projeta le faisceau sur le poste. Le châssis était à nu et des lampes avaient été enlevées. Il était sûrement inutilisable.

Hubert referma la fenêtre, rouvrit la porte et repartit par la voie normale. Une angoisse lui pesait sur l'estomac. Il avait le pressentiment que le drame n'était encore qu'à ses débuts.

Il rejoignit rapidement le bâtiment d'habitation. Master Jack était dans la cuisine. Robina et le pilote regardaient la télévision dans la salle de séjour.

— Où sont les autres ? leur demanda Hubert.

— Dans leur chambre, je suppose, répondit Robina sans quitter l'écran du regard.

— Personne n'est entré, depuis cinq minutes ?

— Je ne sais pas.

Hubert regagna le couloir. Il frappa à la porte de Volinsky, qui ouvrit aussitôt.

— Avez-vous vu Biedermann ?

— Non, répondit Volinsky. Il n'est pas là ?

— Merci, dit Hubert en s'éloignant.

Un peu déconcerté, Volinsky referma. Hubert heurta puis ouvrit la porte suivante qui était précisément celle de la chambre de Biedermann. La pièce était vide. Hubert frappa successivement chez Saker, puis chez Carol. Saker était occupé à cirer des chaussures. Il n'avait pas vu Biedermann. Carol était en peignoir de bain, en train de refaire son maquillage. Hubert entra, referma et la mit au courant des derniers événements. Elle lui prit la main, effrayée.

— Seigneur, murmura-t-elle, quelle histoire ! Pourquoi a-t-il saboté le poste-émetteur ?

— Probablement pour que nous ne puissions pas lancer de SOS si les choses se gâtent. Mais il nous reste l'émetteur de l'hélicoptère. J'espère qu'il n'y a pas pensé...

— Il va peut-être essayer de se sauver ?

— L'hélicoptère est en panne.

— C'est vrai. Je n'y pensais plus.

Il voulut repartir, mais elle le retint par la main et se leva tout près lui.

— J'ai peur, dit-elle.

Il la prit dans ses bras.

— Je suis là pour vous protéger.

— Je sais, et c'est bon de le savoir.

Il la baisa doucement sur la bouche.

— Vous me plaisez beaucoup, Carol, assura-t-il.

Elle eut un léger sourire, un peu crispé.

— C'est réciproque.

Il lui donna un second baiser, moins innocent que le premier. Elle l'accepta sans le lui rendre. Sa bouche était tendre et chaude. Elle était suffisamment serrée contre lui pour qu'un soudain raidissement dans l'attitude d'Hubert ne pût lui échapper. Elle s'éloigna, le feu aux joues, la respiration courte.

— Ce n'est pas raisonnable, murmura-t-elle.

Il était bien de son avis. Il se reprit, réussit à sourire et gagna la porte.

— À tout à l'heure.

Il sortit et se rendit dans sa chambre où il s'enferma. Il sortit sa valise de la penderie, la posa sur le lit et libéra le double fond qui dissimulait un colt Super 38 automatique, cinq chargeurs de rechange et un holster de ceinture intérieur.

Il installa le holster à l'intérieur de son pantalon et le fixa sur sa ceinture, à l'extérieur, avec la patte de cuir à bouton pression prévue à cet effet. Il mit le colt en place avant de reboucler sa ceinture, le sortit plusieurs fois très vite afin de s'assurer que rien n'accrochait, puis fourra un chargeur dans la crosse et l'arma.

Il prit dans la penderie un blouson de chasse

en toile, assez long pour dissimuler l'arme mais suffisamment flottant et léger pour ne pas gêner en cas de nécessité d'un tir rapide. Après quoi, Hubert quitta sa chambre et retourna dans la salle de séjour.

Volinsky et Saker avaient rejoint Robina et le pilote devant la télévision.

— Vous avez retrouvé Karl ? s'enquit David Saker.

— Non, répondit Hubert.

Il fit un mouvement de tête vers le pilote qui l'observait et reprit :

— Lieutenant, je voudrais vous parler. Venez un instant, je vous prie.

Intrigué, le lieutenant pilote se leva, suivi du regard par les trois autres, et suivit Hubert dans le couloir. Master Jack montra son visage noir à la porte de la cuisine.

— Voulez-vous allumer les lampes extérieures, lui demanda Hubert, et nous donner des torches ?

Master Jack manœuvra des boutons sur un tableau situé près de l'entrée, puis retourna dans sa cuisine et revint avec deux torches électriques à grande puissance.

— Merci, dit Hubert en les prenant.

Il en donna une au lieutenant, que ce manège intriguait visiblement de plus en plus, et dit :

— Sortons.

Ils sortirent ; les lampes qui ceinturaient le bâtiment éclairaient le terrain jusqu'à une vingtaine de mètres. Hubert prit la direction de l'hélicoptère, dont la lourde silhouette se devinait dans l'obscurité.

— Lieutenant, reprit Hubert, vous allez me donner votre parole de ne pas répéter aux autres ce que je vais vous confier.

— Vous avez ma parole.

Le pilote manquait d'enthousiasme.

— Un des ingénieurs, Biedermann, est devenu fou. Il a volé une arme et saboté le poste émetteur-récepteur de radio. Je crains qu'il n'en reste pas là... Êtes-vous armé ?

— Mon arme est dans l'appareil.

— Il est fermé à clé ?

— Non, je ne pensais pas que...

— Je ne vous le reproche pas. La panne est grave ?

Le lieutenant ne répondit pas tout de suite. Il déglutit péniblement et bredouilla :

— Non, pas tellement... Je crois que c'est l'allumage.

— La radio fonctionne ?

— Sur les accus, oui.

— Nous allons passer un message à Hot Springs et demander à l'officier de sécurité de nous envoyer des hommes dès la première heure demain matin.

Ils atteignirent l'appareil, ayant allumé leurs torches. Le lieutenant Barrows monta le premier. Il était déjà dans l'habitacle et Hubert suivait lorsqu'il se mit à jurer effroyablement.

— Le poste ? questionna Hubert.

— Oui. Si je tenais l'enfant de salaud...

Hubert passa le buste par la portière pour constater les dégâts. Ce n'était pas beau à voir. Les lampes avaient été écrasées, avec un marteau ou la crosse d'un pistolet.

— Irrémédiable ?

— Absolument, dit le pilote d'une voix blanche.

— Eh bien, constata Hubert, nous voilà frais.

Il avait à peine terminé que les sirènes d'alarme se mirent à hurler.

CHAPITRE 11

Las Vegas, même heure.

Glenn Gordon avait jeté son dévolu sur Norman Babins parce qu'il lui semblait beaucoup moins coriace que Frank Kinschler, et aussi pour cette raison que, maillon d'une chaîne, Babins était plus près que Kinschler de l'extrémité reliée à Deer Castle.

C'était pourquoi, alors que Kinschler reposait tranquillement dans une cellule, Babins se voyait appliquer le troisième degré sauce FBI. Assis sur une chaise en bois dur, face à un puissant projecteur braqué sur son visage et qui constituait le seul éclairage de la pièce, il subissait depuis une heure le feu roulant d'un interrogatoire mené par quatre hommes qui tournaient autour de lui comme des mouches autour d'un cadavre, sans arrêter un seul instant de le bombarder de questions.

— Qui t'a remis le film ? Depuis quand connais-tu Ernie ? Qui t'a recruté pour le réseau ?... Quand ?... Où ?... Comment ?...

Pourquoi t'es-tu engagé ?... Que faisais-tu avant ?... Combien as-tu touché d'argent ?... Pourquoi trahis-tu ton pays ?... Combien de fois as-tu rencontré Ernie ?... Quand ?... Où ?... Comment ?... Quand ?... Où ?... Comment ?... Quand ?... Où ?... Comment ?...

Il ne voyait pas les flics tourner autour de lui, il n'entendait que leurs voix... Ils criaient, jusque dans ses oreilles... Le projecteur l'aveuglait, ses yeux le brûlaient et pleuraient... Sa tête enflait, devenait douloureuse, résonnait comme un gong sous le choc des questions qui l'atteignaient comme autant de coups de marteau. Il aurait voulu se boucher les oreilles, mais ses mains étaient attachées derrière lui par des menottes... Il aurait voulu... Il aurait voulu... Il se mit soudain à hurler :

— ASSEZ !

Puis il se tassa sur lui-même et se mit à sangloter convulsivement, au bord de la crise nerveuse. Alors tout s'arrêta comme par miracle. Les voix se turent, le projecteur fut braqué vers le plafond qui renvoya dans la pièce une lumière douce et comme tamisée. L'un après l'autre, les quatre hommes sortirent, le dernier refermant la porte. Norman Babins continua longtemps de sangloter. Il commençait à regretter amèrement ce qu'il avait fait. Il ne s'était pas rendu compte. Maintenant, Dieu seul savait ce qui l'attendait : la chambre à gaz, probablement.

La porte se rouvrit, quelqu'un entra, mais Babins ne pouvait le voir car il ne pouvait plus tenir ses yeux ouverts. Il sentit que le nouveau venu approchait, puis qu'il le libérait de ses menottes.

— Essuie-toi la figure, dit l'homme. T'as l'air d'une méduse qu'on vient de sortir de l'eau.

Babins avait reconnu la voix de l'inspecteur Gordon, qui l'avait confié aux quatre autres après lui avoir fait entendre l'enregistrement de son entretien avec « Ernie ». Il chercha son mouchoir dans sa poche, c'était le seul objet personnel qu'on lui eût laissé, s'essuya le visage et se tamponna longuement les yeux.

— Ils t'en ont fait baver, remarqua doucement Gordon. Je les connais, ce sont de vraies brutes. Et tu n'as pas fini, ça n'est qu'un commencement.

Babins frissonna. Il était prêt à faire n'importe quoi pour ne pas retomber aux mains de ses tourmenteurs. Il réussit à ouvrir les yeux et à distinguer le visage débonnaire de Gordon penché sur lui. Celui-ci était un gentleman, sans aucun doute. Un flic qui faisait son métier, mais un gentleman. Pas comme les autres...

— Tu veux une cigarette ?

Babins secoua négativement sa tête douloureuse.

— J'ai soif.

Il vit Gordon marcher jusqu'au bureau, décrocher le téléphone et demander qu'on lui apporte deux bières bien fraîches. Gordon raccrocha et s'assit en coin sur le bureau, une jambe ballante.

— Les autres sont partis manger un sandwich. Ils en ont bien pour un quart d'heure. Quand ils reviendront, ne leur dis pas que je t'ai donné à boire. Ça ferait des histoires...

Il alluma une cigarette, se retourna pour approcher un cendrier et reprit :

— Kinschler est plus raisonnable que toi...

Babins paraissant ne pas comprendre, Gordon précisa :

— Je parle d'Ernie... Son vrai nom est Frank Kinschler et il habite à San Francisco. Tu ne le savais pas ?

— Non.

— Voilà quelque temps, nous avons arrêté un membre de votre réseau, Vilmos Krany... Tu as dû voir ça dans les journaux.

Babins fit un signe affirmatif.

— Vilmos Krany avait un microfilm sur lui... Il nous a dit que c'était Frank Kinschler qui le lui avait remis... Nous avons donc épinglé Kinschler.

Gordon tira une bouffée de sa cigarette, l'ôta de sa main gauche, et passa lentement l'ongle de sa main droite sur sa lèvre inférieure. Son regard était sans expression, mais aucune des réactions de Babins ne lui échappait. Et, sur l'instant, Babins faisait une drôle de tête, craignant de comprendre...

— Kinschler n'est pas un héros, continua Gordon, c'est simplement un homme qui n'a aucune disposition particulière pour le martyre. Un individu normal, quoi... Il n'a pas refusé le marché que nous lui proposions et il nous a conduits jusqu'à toi.

Les yeux dilatés, la bouche ouverte, Babins était l'image même de la stupéfaction. Gordon se releva, mit une main dans sa poche et marcha vers la fenêtre.

— Kinschler a respecté le contrat, il s'en tirera.

On frappait à la porte. Un planton apportait la bière. Il décapsula les bouteilles et s'en alla. La porte refermée, Gordon donna une bouteille à Babins et garda l'autre.

— À ta santé, dit-il.

Ils burent ensemble. Babins d'un seul trait, jusqu'à la dernière goutte. Gordon lui reprit la bouteille vide et la posa sur le bureau. Babins regardait par la fenêtre un coin de ciel étoilé.

— Dis-moi, Babins, reprit Gordon, as-tu la vocation du martyre ?

Babins soupira.

— Je ne crois pas...

— Alors, tu devrais faire comme Kinschler... Tu nous conduis au maillon suivant et on te tire d'affaire.

Babins soupira de nouveau.

— Ce n'est pas possible.

Il semblait réellement le regretter. Gordon s'étonna :

— Pourquoi ?

— Parce que je ne le connais pas.

— Allons, protesta Gordon, soyons sérieux. Tu as remis le film à Kinschler, quelqu'un te l'a forcément remis à toi... Ou alors, c'est toi qui as fait ce film.

— Non.

— Explique-toi, mon vieux. Nous avons développé le film et nous savons d'où il vient.

— Justement. Il vient de Deer Castle, un laboratoire secret installé quelque part dans le désert à l'est de Hot Springs... C'est un hélicoptère de chez nous qui assure le ravitaillement, tous les jours, et c'est moi qui m'en occupe. Il y a une caisse spéciale pour les œufs, qui fait la navette le jeudi seulement. C'est dans cette caisse, sous le dernier étage d'alvéoles en carton que je trouve les films, fixés avec du scotch.

— Tous les jeudis ?

— Tous les premiers jeudis du mois.

— Et les rendez-vous avec Kinschler ?

— Tous les premiers samedis du mois.

— Depuis quand fais-tu ça ?

— Depuis six mois.

— C'est arrivé comment ?

Babins baissa la tête.

— Le jeu.

— Comment ça, le jeu ?

— Je viens souvent jouer ici, ou je vais à Reno. J'avais perdu une grosse somme... qui ne m'appartenait pas. Je l'avais prise dans la caisse du mess, à Hot Springs, avec l'intention de la remettre en rentrant... Ce soir-là, je n'avais plus de quoi dîner, ni payer une chambre d'hôtel. Un type qui m'avait vu perdre m'a offert de passer la nuit dans sa caravane. J'ai accepté. Il avait laissé sur la table un gros paquet de fric, largement de quoi rembourser le mess. Au milieu de la nuit, je me suis relevé sans bruit et j'ai voulu partir avec l'argent. Le type m'est tombé dessus. Il m'a flanqué une correction et puis il m'a fait signer une reconnaissance de vol... Après...

— Après, intervint Gordon, il t'a expliqué comment tu pouvais éviter d'aller en prison et tu as marché comme un imbécile... C'était Kinschler ?

— Oui. Pendant vingt-quatre heures, il m'a enseigné un tas de choses, comment utiliser les encres sympathiques, et le code dont le réseau se servait pour sa correspondance intérieure...

— Je ne comprends pas, objecta Gordon. Si tu étais venu ici tout raconter, tu t'en serais tiré avec des félicitations...

— Peut-être, admit Babins, mais ça n'aurait pas comblé le trou dans la caisse du mess et je me serais tout de même retrouvé en taule pour vol.

Gordon écrasa ce qui restait de sa cigarette dans le cendrier.

— Ce qui m'étonne, reprit-il, c'est que Kinschler t'ait enseigné le code si tu devais seulement servir de courrier. C'était non seulement inhabituel, mais dangereux...

Babins baissa la tête et ne répondit pas.

— Moi, enchaîna Gordon, je crois que tu ne t'es pas contenté de transmettre les films en provenance de Deer Castle. Tu as aussi fourni des renseignements sur Hot Springs. C'est ça, hein ?

Babins avoua d'un signe de tête.

— Quels renseignements ? insista Gordon.

— Il m'avait demandé le plan des installations, le type et le nombre des appareils affectés à la base et la liste complète du personnel.

Gordon décrocha le téléphone, manœuvra le cadran, attendit un instant.

— Bob ?... Veux-tu venir avec l'agrandissement du dernier cliché, la lettre codée ? Okay.

Il raccrocha et regarda Babins.

— Viens t'asseoir ici. On va te donner du papier et du crayon et tu vas travailler un peu.

Gordon craignait qu'arrivé à ce stade Babins ne s'étonnât que Kinschler, s'il collaborait vraiment, n'ait déjà déchiffré le document. Mais Babins était totalement vidé. Il ne pensait plus qu'à rendre service pour que l'on soit gentil avec lui. Robert Delapenha apporta le document et Babins se mit au travail. Dix minutes plus tard, il livrait à Gordon le résultat.

De HUNKY à DIRECTEUR

Quittant bureau la nuit après avoir pris photos ci-jointes, ai vu mon collègue Biedermann pénétrer dans bâtiment. Par fenêtre l'ai vu ouvrir le coffre, prendre rapport synthèse et le cacher derrière le coffre. A été surpris à ce moment par chef de centre Dunn venu chercher clés oubliées sur coffre. Biedermann a tué Dunn et s'est sauvé. Suis revenu bureau procéder mise en scène pour faire croire accident afin d'éviter enquête contre-espionnage. Ai remis dossier en place, les clés dans poche vêtements Dunn, emporté arme du crime. Enquête officier sécurité Hot Springs a conclu mort accidentelle. Toutefois vous demande cesser provisoirement activité et supprimer prochaine livraison ainsi que tout essai de contact.

HUNKY.

Deer Castle.

La sirène d'alarme continuait de lancer dans la nuit ses sinistres hululements lorsque Hubert et le lieutenant pilote Larry Barrows rentrèrent en courant dans le bâtiment. Tous les autres étaient déjà agglutinés dans le fond du couloir devant l'armoire ouverte qui abritait le tableau de contrôle des différents systèmes de sécurité.

— Que se passe-t-il ? demanda Hubert.

Carol se retourna pour lui répondre.

— Le feu dans le laboratoire.

Elle était livide et les autres n'étaient guère plus brillants.

— Et alors ? riposta Hubert. Il doit exister un système de sécurité ?

— Oui, mais il n'a fonctionné qu'en partie. Les portes blindées se sont fermées et verrouillées, mais les extincteurs automatiques n'ont pas fonctionné et les vannes des cheminées d'aération sont restées en position ouverte.

— Comment le savez-vous ?

Elle montra le tableau, les lampes rouges et vertes dont certaines étaient allumées.

— Vous pouvez le vérifier vous-même.

— Conséquences ?

Carol reprenait son souffle. Ce fut Volinsky qui répondit :

— La ventilation étant assurée, le feu va se développer et les réservoirs de gaz vont sûrement exploser...

— Le gaz lui-même sera-t-il brûlé ?

— Je ne le crois pas.

— Mais il est plus lourd que l'air ?

— Relativement, oui. Mais comme il sera surchauffé, il s'élèvera dans les conduits de ventilation et se répandra dans la cuvette où il stagnera puisque, par extraordinaire, il n'y a pas de vent ce soir.

— Pensez-vous qu'à ce moment-là sa dilution dans l'atmosphère soit encore dangereuse ?

— Absolument. Ce gaz reste dangereux à un taux de dilution incroyablement faible. Il ne nous tuerait pas, mais il nous rendrait fous, ce qui est peut-être encore pire.

Il sourit et ajouta :

— J'ai employé le conditionnel car il nous suffit d'aller nous enfermer dans l'abri pour être sauvés.

Hubert répliqua d'un ton lugubre :

— Malheureusement, la clé de l'abri a disparu. Je n'avais pas estimé utile de vous en avertir... Mais, maintenant...

Tous les visages exprimèrent une stupeur mêlée d'incrédulité.

— Ce n'est pas possible !

Hubert soupira.

— Allons dans la salle, il faut que je vous parle.

Ils le suivirent.

— Bryan Dunn, reprit-il, n'est pas mort accidentellement. Il a été assassiné. Tout à l'heure, j'ai surpris Biedermann alors qu'il essayait d'enterrer l'arme du crime : le gros cendrier de cristal qui appartient à Carol. Biedermann a pu se sauver, abandonnant le cendrier. Quelques minutes plus tard, alors que je venais de mettre l'arme du crime à l'abri dans le coffre, j'ai entendu du bruit dans le bureau de Robina. Quelqu'un était là, en train de saboter la radio. Il a pu s'enfuir, après m'avoir tiré dessus, probablement avec le 22 LR du bureau qui a disparu en même temps que la clé.

— C'était Karl ? demanda David Saker.

— Je ne l'ai pas vu, mais tout permet de supposer qu'il s'agit de lui... Autre chose : je voulais envoyer un message à Hot Springs par l'émetteur de l'hélicoptère. Nous venons de constater, le lieutenant Barrows et moi, que le poste de l'hélicoptère a lui aussi été mis hors d'usage.

— Il y en a un autre dans l'abri, indiqua Robina.

— Je sais, répliqua Hubert, trouvez-moi la clé.

Master Jack roulait de grands yeux effarés.

— Moi, j'aimais pas ce type-là, gronda-t-il. Ce type-là il était pas poli avec moi. Je vais le chercher sur le plateau et si je le trouve, je lui serre la gorge jusqu'à ce qu'il rende la clé.

— Mon pauvre ami, dit Hubert, il vous aura tué avant. Il est armé. D'ailleurs, il est probablement dans l'abri. Peut-être a-t-il décidé de nous laisser tous détruire par le gaz et pense-t-il trouver une explication valable pour les autorités...

— À moins, lança David Saker, qu'il n'ait voulu se suicider spectaculairement en nous entraînant tous avec lui.

— Il nous reste une porte de sortie, dit Carol. L'hélicoptère.

— Il est en panne, objecta Volinsky.

Hubert regarda le lieutenant Barrows qui semblait fort embarrassé.

— Je pourrais peut-être le dépanner...

Robina intervint brusquement :

— Il faut leur dire la vérité, notre existence est en jeu...

Elle les regarda tous l'un après l'autre et avoua :

— L'hélicoptère n'est pas en panne. C'est une invention de Larry pour rester ici cette nuit... avec moi.

Cette révélation provoqua ce qu'il est convenu d'appeler des mouvements divers. Les hommes jurèrent, Carol poussa un « oh ! » indigné.

— C'est vrai ? demanda Hubert au lieutenant qui était devenu cramoisi.

Un simple hochement de tête fut une réponse suffisante. Hubert savait que, dans sa version transport de passagers, le Sikorsky S-55 était prévu pour enlever huit personnes. Tout allait donc bien de ce côté-là, mais...

— Votre appareil est-il équipé pour le vol de nuit ? demanda Hubert.

— Non.

— La nuit est obscure. Ce serait une folie d'essayer de gagner Hot Springs parmi toutes ces montagnes...

— On peut faire une chose, proposa le pilote. Il y a une autre mesa[1] à trois milles au nord. Je crois que nous pourrions y arriver en volant tout doucement et en utilisant le projecteur. L'avantage, avec un hélicoptère, c'est

1. Plateau rocheux bordé de falaises, créé par l'érosion.

qu'on peut voler à dix à l'heure ou même faire du sur-place si on le veut... On passerait la nuit sur cette mesa et, demain matin, on rejoindrait Hot Springs.

— Okay, dit Hubert. De toute façon, nous n'avons pas le choix.

— Et Karl ? s'inquiéta Robina.

— Nous ne sommes pas assez pour entreprendre des recherches sur le terrain dans cette obscurité. Tant pis pour lui.

— Il l'aura bien cherché, lança Carol.

— On part tout de suite ? proposa David Saker.

— Oui. N'emportez rien. Nous pourrons sûrement revenir dans quelques jours sans danger.

Ils ne discutèrent pas et allèrent simplement prendre leurs duffle-coats. Ils se disposaient à sortir lorsque la lumière s'éteignit. Presque aussitôt, l'écho assourdi d'une forte explosion leur parvint.

— Les réservoirs ! s'exclama Carol.

Hubert et le lieutenant, qui avaient conservé leurs torches, les allumèrent en même temps.

— Je crois plutôt que c'est le groupe électrogène, dit David Saker. L'explosion des gazomètres ne peut pas couper le courant...

— C'est vrai, admit Carol. Je suis idiote.

Volinsky avait ouvert un placard près de la

porte et en sortait des lampes à pile de style camping, à éclairage circulaire, qu'il tendait aux autres.

— Un groupe électrogène n'explose pas tout seul, remarqua-t-il.

Ils quittèrent le bâtiment, le lieutenant pilote en tête, Hubert fermant la marche. Ils trouvèrent l'hélicoptère dans la lumière de leurs lampes. Le pilote ouvrit la porte du compartiment inférieur, puis se hissa par l'extérieur dans sa cabine de pilotage. Hubert fit installer tout le monde en bas et monta rejoindre le lieutenant qui actionnait déjà le démarreur.

Vainement. Le moteur refusait de partir. Le pilote s'assura qu'il n'avait rien oublié, refit les manœuvres préliminaires, recommença. Sans plus de résultat.

— J'ai l'impression que c'est l'allumage, dit Hubert.

— Moi aussi...

— Regardons tout de suite, ne perdons pas de temps.

Ils quittèrent les sièges. Hubert éclaira le pilote qui découvrait le moteur. Il ne leur fallut pas longtemps pour trouver la panne : la tête de l'allumeur avait été enlevée et les fils inutiles pendaient lamentablement.

— Eh bien, remarqua Hubert en forçant un

peu son humour, vous n'aviez pas menti. Votre truc est vraiment en panne.

Accablé, le lieutenant devait penser qu'il allait maintenant payer un peu cher la promesse d'une nuit qu'il ne connaîtrait sans doute jamais.

— Nous sommes foutus, murmura-t-il.

CHAPITRE

12

Las Vegas.

Le téléphone sonna. Glenn Gordon décrocha et entendit le standardiste annoncer :

— Vous avez l'officier de sécurité de la base de Hot Springs... Parlez.

— Merci... Allô, ici l'inspecteur Glenn Gordon, du bureau du FBI de San Francisco, en déplacement à Las Vegas...

— Je vous écoute.

— Nous avons arrêté un type de chez vous, Norman Babins, employé aux cuisines.

— Qu'est-ce qu'il a fait ?

— Espionnage. Nous l'avons épinglé alors qu'il venait de remettre des photocopies de documents à un agent étranger que nous surveillions depuis longtemps. Les documents proviennent de Deer Castle...

— Je connais.

— Il y avait annexé un rapport du type de ce réseau qui opère à Deer Castle. Ce rapport concerne spécialement la mort du chef de centre, un certain Dunn...

— Je suis au courant.

— D'après ce rapport, Dunn ne serait pas mort accidentellement comme vous l'avez cru, mais tué par un de ses gars qui s'appelle Biedermann...

— C'est l'espion ?

— Non. L'espion, lui, a camouflé le crime en accident pour éviter que le contre-espionnage ne prenne l'affaire en main.

— Qui est cet espion ?

— Nous n'en savons rien encore. Tout ce que nous savons, c'est que ce n'est pas Biedermann. Je vous dis ça pour le cas où vous auriez quelqu'un à prévenir sur place...

— Je pourrais avoir quelqu'un à prévenir, répondit l'officier, mais je ne peux pas le faire. Nous essayons depuis un bon moment déjà d'établir un contact radio avec eux pour prévenir le pilote d'un hélicoptère resté en panne là-bas que nous lui enverrons un appareil de secours dès le lever du jour, mais Deer Castle ne répond plus. Nous craignons qu'il ne s'y passe quelque chose de pas normal, mais nous ne pouvons rien faire avant le jour. C'est en plein dans les montagnes et la nuit est trop obscure.

— Vous pourriez peut-être demander aux

émetteurs locaux de Las Vegas et de Reno de passer un communiqué ; c'est bien le diable si ces gens-là, isolés comme ils le sont, n'écoutent pas la radio...

— Ce n'est pas une mauvaise idée, je vais étudier ça.

— De toute façon, reprit Gordon, nous prenons la route maintenant pour aller chez vous. Nous voulons perquisitionner dans les affaires de Babins et nous aurons besoin de votre concours.

— À votre disposition. Mais vous n'arriverez pas de bonne heure. Cela fait deux cent quatre-vingts milles, de Vegas jusqu'ici.

— Regardez votre montre, dans quatre heures et demie nous y serons[1].

Deer Castle.

Hubert regarda le lieutenant Barrows, qui semblait accablé, et remarqua :

— Mon pauvre vieux, vous avez mal choisi votre jour...

Le pilote soupira.

— C'est une malédiction, dit-il. Il y a des

1. Dans le Nevada, où beaucoup de choses interdites dans les autres États sont permises, la vitesse sur route n'est pas réglementée, mais simplement conseillée : *reasonable and proper*.

semaines que je courtise cette fille sans résultat, et ce soir c'est elle qui brusquement me fait du chantage pour m'obliger à rester.

Hubert tressaillit imperceptiblement.

— Elle vous a fait du chantage ?

— Oui, assura le pilote avec rancœur. Elle m'a dit que c'était ce soir ou jamais.

— Pour quelle raison ?

— Elle ne m'a pas donné de raison. C'était comme ça, à prendre ou à laisser...

Hubert poussa un grognement indistinct, puis enchaîna :

— Descendons leur annoncer la bonne nouvelle. Ils doivent se demander ce que nous fabriquons...

Il ouvrit la portière et descendit le premier, cherchant à tâtons, du bout de ses chaussures, les marchepieds ménagés dans le fuselage et que fermaient des trappes à ressort. La porte du compartiment inférieur s'ouvrit alors qu'il touchait terre.

— Qu'est-ce qui se passe ? s'inquiéta Volinsky.

— Il se passe que l'hélicoptère a aussi été saboté. Le moteur... La tête de l'allumeur enlevée.

Il entra dans le compartiment éclairé par plusieurs lampes posées sur des caisses. Ils étaient tous debout, excepté Robina, assise sur un cageot retourné. La grosse face noire de Master Jack avait viré au gris. La couleur des autres visages rappelait le mastic. Le pilote arriva derrière Hubert. David Saker mangeait nerveusement ses ongles. Carol vint se placer près d'Hubert, comme pour chercher une protection.

— Ne nous affolons pas, conseilla celui-ci, la situation est grave mais sûrement pas désespérée.

— Je ne sais pas ce qu'il vous faut, riposta Volinsky. Nous sommes menacés d'un danger mortel et nous ne pouvons pas nous échapper, ni nous mettre à l'abri, ni demander du secours... Si ça ne vous suffit pas comme situation désespérée...

Il était revenu à la porte et regardait au loin.

— Venez voir, reprit-il.

Hubert le rejoignit. À deux cents mètres de là, des torrents de fumée rouge jaillissaient des cheminées d'aération du laboratoire souterrain.

— N'existe-t-il aucun moyen de fermer ces vannes ? demanda Hubert.

— Non. Pas dans l'état actuel des choses... Il faudrait y descendre.

— Ne peut-on boucher les conduits... Avec de la terre, par exemple ?

— Il y a deux conduits de six mètres de hauteur sur un mètre de diamètre. Nous disposons de deux pelles. Calculez vous-même le temps qu'il nous faudrait...

— De toute façon, lança David Saker, il n'y a pas de terre, ici, rien que du caillou.

Hubert poursuivait son idée.

— On pourrait les faire sauter. En s'effondrant autour, le sol...

— Impossible ! coupa nettement Volinsky.

— Mais enfin, riposta Hubert, vous êtes chimistes, vous devez savoir fabriquer des explosifs !

Volinsky haussa les épaules.

— À condition d'avoir ce qu'il faut, oui. Mais tout ce qui pourrait nous servir est justement en train de brûler dans le laboratoire.

Hubert conservait un calme olympien. On aurait pu croire que ce dramatique problème ne le concernait pas et qu'il essayait simplement de le résoudre pour les autres.

— De combien de temps disposons-nous, à votre avis ?

Volinsky tourna la tête pour regarder ses collègues. Carol Ansell et David Saker firent une moue d'ignorance.

— On ne peut pas savoir. Ça peut sauter maintenant comme dans une demi-heure.

— Pas plus d'une demi-heure ?

— Je n'en sais rien.

— Nous entendrons l'explosion ?

— Sûrement.

— Et combien de temps nous restera-t-il après l'explosion ?

— Avant que les gaz ne nous atteignent ? Cela dépendra de notre éloignement. Si nous restons ici, je pense que cela pourra demander dix minutes, un quart d'heure.

— Et si nous gagnons le bord le plus éloigné et le plus élevé de la cuvette ?

— Nous aurions peut-être une chance de nous en tirer.

— Une chance sur combien ?

Volinsky haussa de nouveau les épaules.

— Une chance, répéta-t-il sans préciser davantage. Et il faudrait penser que le vent peut se lever d'un instant à l'autre.

— Il n'y a qu'à se mettre dans les vents dominants, riposta Hubert.

— Bien sûr, mais le côté d'où viennent les vents dominants est précisément le plus difficile d'accès en même temps que le moins élevé.

— Résumons-nous, dit Hubert. Si j'ai bien compris, lorsque nous entendrons l'explosion il nous restera largement le temps de gagner le bord de la cuvette puisque nous disposerons d'au moins dix minutes d'avance ?

— Oui.

— D'autre part, si le vent se levait avec une

force suffisante, nos chances seraient sensiblement augmentées.

— Je crois même que le vent est notre seul espoir sérieux.

— Ce matin, intervint Carol, le bulletin météo annonçait une absence totale de vent dans la région pour au moins vingt-quatre heures...

— Si nous pouvions retrouver Biedermann, suggéra le lieutenant Barrows, et lui reprendre l'allumeur...

— Nous pouvons essayer, accepta Hubert, mais il fait très noir. Si nous utilisons les lampes, il nous verra venir de loin et... il est armé. Si nous y allons à tâtons, nous risquons tout simplement de tourner en rond sans aucun résultat...

Il regardait les colonnes de fumée, rougeoyantes à la base, qui s'échappaient du sol à deux cents mètres de là.

— De toute façon, dit Robina, je parierais bien ma chemise que Biedermann s'est déjà enfermé dans l'abri.

— Depuis quand portez-vous une chemise ? demanda Hubert.

Robina haussa les épaules et la plaisanterie fit long feu. David Saker tendit la main vers la torche du lieutenant Barrows et dit avec une grande détermination :

— Donnez-moi ça, j'ai une idée.

Barrows lui donna la lampe. David Saker se glissa entre Igor et Hubert.

— Attendez-moi là, reprit-il. Je n'en ai pas pour longtemps.

Il sauta et partit en direction du bâtiment.

— Où allez-vous ? cria Hubert.

— Je reviens, ne bougez pas !

— Qu'est-ce qu'il va faire ? s'inquiéta Carol en se serrant contre Hubert.

Il lui prit la main.

— Nous verrons bien...

Elle se mit soudain à pleurer et posa son front sur l'épaule d'Hubert.

— Je ne veux pas mourir, gémit-elle. Je ne veux pas mourir...

CHAPITRE 13

David Saker éteignit la torche en arrivant devant la porte d'entrée du bâtiment et continua tout droit dans l'obscurité. Il tourna ensuite à droite, la tête levée pour suivre la ligne du toit qui se découpait avec netteté sur le fond plus clair du ciel. Ses yeux s'étaient un peu habitués à l'obscurité lorsqu'il atteignit l'extrémité de la construction et il put distinguer à gauche le cube de béton qui protégeait l'accès de l'escalier conduisant à l'abri.

Il pensait à ce qu'avait dit Volinsky, et que celui-ci, connaissant parfaitement la vitesse de dissolution et le coefficient de solubilité du gaz en question, ne pouvait ignorer qu'ils n'avaient aucune chance de s'en sortir. Volinsky ne s'était montré optimiste que pour ne pas pousser au désespoir les profanes tels que Robina, le lieutenant Barrows et ce maudit agent des services spéciaux. Carol, elle, savait parfaitement à quoi s'en tenir.

David Saker s'engagea à tâtons dans l'accès de l'escalier, puis ralluma sa lampe. Il descendit rapidement, à la fois soulagé et content de soi. Arrivé en bas, il ouvrit son duffle-coat et sortit une clé plate d'une petite poche à tickets qui se trouvait sous la ceinture de son pantalon. Il éclaira la porte de l'abri et voulut engager la clé dans la serrure.

La clé n'entrait pas. Il s'accroupit pour mieux voir, essaya encore une fois, puis compara l'extrémité de la clé et le trou de la serrure : les gorges ne correspondaient pas.

David Saker se redressa, blême, le cœur battant la chamade. Il ne comprenait pas. Il avait pourtant pris cette clé à la place où devait se trouver, où s'était toujours trouvée la clé de l'abri. Il n'y avait d'ailleurs pas d'autres clés dans ce tiroir. Il n'était donc pas possible de se tromper...

La tête lui tournait, il n'arrivait plus à coordonner ses pensées. Une seule idée s'imposait à lui : il risquait maintenant de mourir avec les autres, comme les autres...

La panique le saisit. Il se mit à marteler de ses poings la porte blindée de l'abri. Puis il se ressaisit. Tout n'était pas encore perdu. S'il n'avait pas la clé, les autres ne l'avaient pas non plus. Elle était donc quelque part et il allait la trouver. Surtout, ne pas s'affoler.

Il remonta, sans courir, éteignit sa lampe dès qu'il aperçut la sortie. La clé ne pouvait être que dans le bureau du chef de centre, ou dans celui de Carol... Dans celui de Carol, plutôt. Il se souvenait y avoir vu, dans un tiroir, tout un tas de clés, dont on ne se servait jamais. Une erreur avait pu être commise...

Il atteignit la sortie et s'arrêta. Les autres étaient revenus dans le bâtiment et il les voyait à travers les fenêtres de la salle de séjour, mal éclairée par les lampes de camping. Il décida de passer au large pour éviter d'être vu. Il allait partir lorsqu'un léger bruit le fit s'immobiliser...

Il tourna légèrement la tête et aperçut une silhouette massive qui approchait à pas de loup. Son cœur manqua un battement. Cela ne pouvait être que Biedermann. C'était Biedermann...

David Saker recula dans l'ombre épaisse et se colla au mur de béton. Il sortit le colt Huntsman de sous son manteau et en repoussa le cran de sûreté. Biedermann s'était arrêté à quelques pas. Il semblait hésiter. Tourné vers les fenêtres de la salle de séjour, il observait les autres...

Une idée jaillit soudain dans l'esprit de David Saker. Il venait de penser que Karl Biedermann avait été le dernier de service à l'entretien du matériel de l'abri. C'était donc lui qui avait utilisé la clé en dernier. Il avait dû la conserver. Il l'avait sûrement conservée. N'avait-il pas maintenant les mêmes raisons que lui de se sauver en laissant crever les autres ?

Biedermann reculait. Biedermann approchait. Biedermann et la clé... David Saker haletait. Le sang martelait ses tempes. Biedermann, son ennemi. Biedermann, sa haine. Il allait venger ses parents. Ses parents assassinés dans une chambre à gaz. Du gaz, encore du gaz, toujours du gaz !

Biedermann reculait. Biedermann approchait. Biedermann n'était plus qu'à un mètre. Le crâne de Biedermann...

David Saker repoussa le cran de sûreté du colt Hunstman et le retourna dans sa main, le prit par le canon. David Saker leva le bras, le souffle coupé, la bouche ouverte. Il n'en pouvait plus... Tout de suite ou... Biedermann fit un pas en arrière, le pas qui le séparait de la mort. David Saker, de toutes ses forces, abattit son bras. La crosse de l'arme heurta le crâne de Biedermann. Le bruit de l'os qui éclatait. Le râle de Biedermann qui s'écroulait...

C'était fini. Biedermann était à terre et ne bougeait plus. David Saker toucha le mur des épaules et ferma les yeux, la bouche ouverte, cherchant son souffle. Le sang cognait à ses tempes, sa tête lui faisait mal...

Il se calma, remit le colt dans sa ceinture, sous son duffle-coat, et se baissa pour attraper Biedermann sous les bras. Il recula, tirant sa victime, tâtant le sol des pieds jusqu'à ce qu'il eût trouvé la première marche...

Il descendit ainsi à tâtons. Les talons de Biedermann rebondissaient de marche en marche, les épaules de David Saker heurtaient les murs, tantôt à gauche, tantôt à droite.

David Saker s'arrêta. Il était en bas. Il lâcha son fardeau, reprit la torche dans sa poche, l'alluma. Les yeux révulsés, la mâchoire pendante, Biedermann avait triste mine. David Saker éclata de rire, un rire grinçant, teinté d'amertume. Il trouvait que la mort de Biedermann avait été trop douce, il aurait aimé que Biedermann mourût gazé, comme étaient morts Ben Saker et Sarah Diskin, son épouse...

Il s'agenouilla et entreprit une fouille méthodique des vêtements de sa victime. Il recommença méthodiquement, étalant tout sur le sol de ciment. Finalement, il dut se rendre à l'évidence : Biedermann ne possédait pas la clé de l'abri.

Hébété, David Saker tomba sur les fesses. Ses mains tremblaient. Il entrevoyait que le processus infernal qu'il avait déclenché pouvait maintenant le tuer, comme il tuerait les autres. Il se releva. Les réservoirs de gaz pouvaient sauter d'un instant à l'autre et il serait alors trop tard. Il remonta l'escalier. Il devait gagner, aussi vite que possible, le bureau de Carol et trouver la bonne clé...

Arrivé en haut, il respira profondément l'air froid de la nuit et se sentit mieux. S'il ne découvrait pas la clé, il pourrait toujours obliger sous la menace le pilote de l'hélicoptère à l'emmener. Cette solution était d'ailleurs la première qu'il eût envisagée et c'était pourquoi il avait fait le nécessaire pour convaincre Robina de retenir le lieutenant Barrows cette nuit-là. Il y avait ensuite renoncé, dès qu'il avait réalisé que cela l'obligerait à neutraliser les autres. Mais, s'il n'y avait plus moyen de faire autrement...

Il allait sortir lorsqu'il vit Volinsky ouvrir une des fenêtres de la salle de séjour, se pencher à l'extérieur, et qu'il l'entendit constater :

— Toujours pas un poil de vent.

La voix de Carol, invisible, demanda :

— Voyez-vous David ?

Volinsky recula.

— Non. Je me demande bien ce qu'il fabrique...

David Saker franchit rapidement la distance qui le séparait du bâtiment, et se rapprocha des fenêtres de la salle de séjour en longeant le mur. Il pensait maintenant que la prudence lui commandait de s'assurer de la personne du lieutenant Barrows sans plus attendre, afin de l'avoir sous la main si la clé restait introuvable. Il suffirait de quelques minutes pour remettre en place la tête de l'allumeur et faire chauffer le moteur.

Ils continuaient de parler de lui. Carol allait même jusqu'à s'inquiéter.

— Pourvu qu'il ne soit pas tombé sur Karl...

Et, brusquement, le coup dur. Robina s'éclaircissait la gorge et disait d'une voix enrouée :

— Il faut que je vous dise quelque chose...

Elle allait sûrement leur dire que David l'avait poussée à séduire le lieutenant Barrows pour obliger celui-ci à rester cette nuit-là. Elle devait commencer à le soupçonner. David Saker n'hésita pas. Il y allait de sa vie, il était en état de légitime défense. Il sortit le colt Huntsman, appuya le canon long sur son avant-bras gauche levé devant son visage, et visa soigneusement la tête de Robina...

Elle hésitait, ayant l'air de chercher ses mots. Hubert Bonisseur de la Bath dit d'une voix parfaitement neutre :

— Nous vous écoutons.

Elle ouvrit la bouche. David Saker appuya sur la détente. Le canon long du 22 sauta sur son avant-bras. L'instant d'après, il vit Robina porter les mains à son front, puis basculer en avant. Il tourna les talons et se sauva en courant. Il était soudain d'une lucidité extraordinaire et tout s'organisait logiquement dans son cerveau. Il savait ce qu'il devait faire, et que les autres ne pourraient pas manquer d'être dupes...

Avant d'atteindre l'entrée de l'abri, il tira une seconde fois, droit devant lui, et cria :

— À moi !

Il plongea littéralement dans l'escalier, alluma la torche, arriva en bas comme un bolide et heurta de l'épaule la porte de l'abri qui résonna sous le choc. Il découvrit alors le contenu des poches de Biedermann répandu sur le sol et s'affola. Il avait oublié ce détail qui pouvait tout compromettre. Il s'agenouilla et entreprit fébrilement de tout faire disparaître dans les poches du duffle-coat de sa victime. La voix d'Hubert Bonisseur de la Bath résonna au sommet de l'escalier. David Saker se redressa, reprit le 22 LR par le canon et remonta lentement l'escalier, s'éclairant avec la torche...

Hubert, Volinsky et Barrows étaient là, ce dernier tenant une arme à la main. Avant même qu'ils aient pu prononcer un mot, David Saker annonça :

— Biedermann... Il est en bas... Je l'ai assommé.

Il s'appuya de l'épaule au mur, l'air à bout

de forces. Les trois hommes le rejoignirent. Haletant, il continua d'expliquer :

— Je l'ai vu tirer sur vous... J'ai crié... Il s'est retourné et il m'a tiré dessus... Je me suis jeté dans l'escalier... Il a voulu me suivre et il est tombé... Le pistolet lui a échappé... Je l'ai ramassé et... j'ai tapé dessus.

Il soulevait le colt pour le montrer. Hubert le saisit et le lui enleva sans qu'il pût l'empêcher.

— C'est l'arme du service, constata-t-il. S'il l'a prise dans le tiroir, il a dû prendre aussi la clé.

— Sûrement, dit Volinsky.

Hubert descendit jusqu'en bas, examina le corps de Biedermann.

— Je crois que vous l'avez tué, lança-t-il en relevant la tête.

— Je ne sais pas, geignit Saker. J'étais affolé, j'ai frappé de toutes mes forces.

Hubert se mit à fouiller les poches des vêtements, étalant tout sur le ciment comme l'avait fait Saker. Volinsky le rejoignit et ils durent se rendre à l'évidence : Biedermann n'avait pas la clé sur lui.

— Alors, là ! dit Volinsky, je n'y comprends plus rien.

— Il l'avait peut-être cachée près de la porte, suggéra Barrows qui restait près de Saker.

Hubert et Volinsky explorèrent les moindres

recoins du vestibule, entre l'escalier et la porte. Vainement. Ils remontèrent.

— Si l'on pouvait seulement savoir où il a mis la tête d'allumeur, dit le lieutenant.

— Il a dû la jeter quelque part, répliqua Saker. On la retrouvera peut-être quand il fera jour, si nous ne sommes pas tous morts avant...

Il regardait l'arme dans la main d'Hubert et cherchait sans succès un prétexte valable pour la réclamer.

Peut-être aurait-il plus de chances avec Barrows...

Ils regagnèrent la surface. Hubert, qui fermait la marche, était encore dans l'escalier lorsqu'un hurlement déchirant, inhumain, fit éclater le silence nocturne.

Ils foncèrent. On se battait dans la salle de séjour.

— Couvrez la fenêtre, cria Hubert au pilote qui avait l'arme au poing. Je fais le tour.

Hubert dérapa dans le virage, se rattrapa, enfonça plus qu'il n'ouvrit la porte d'entrée et bondit dans la salle de séjour. Master Jack, le visage ensanglanté, l'air terrifiant, se battait... contre un grand singe. Plus exactement, il essayait de l'étrangler, cependant que l'animal se défendait en le griffant avec rage. Dans le fond de la salle, tassée dans une encoignure,

Carol Ansell offrait le spectacle d'une magnifique crise de nerfs.

Au centre de la pièce, le cadavre de Robina recouvert d'une nappe.

Hubert resta un instant stupéfait. Il s'attendait à tout, sauf à trouver Master Jack aux prises avec un singe. De l'autre côté, dans les cadres des fenêtres, les visages de Saker, de Volinsky et de Barrows exprimaient un égal étonnement.

Hubert approcha, avec l'intention d'assommer le singe ; mais Master Jack avait gagné. L'animal cessa soudain de se défendre, sa tête oscilla, puis tomba en arrière, les yeux révulsés, la bouche ouverte, la langue sortie. Master Jack le serrait encore entre ses mains puissantes, jurant comme un damné. Hubert lui tapa doucement sur l'épaule.

— C'est fini, mon vieux, il est mort. Vous pouvez le lâcher.

Un frisson violent secoua le grand Noir. Ses mains s'ouvrirent comme à regret, le singe tomba et Master Jack recula vivement, sur un réflexe de répulsion. Puis il resta hébété, ses yeux lui sortant de la tête, comme fascinés par le cadavre de la bête. Il se mit à trembler.

Hubert glissa le 22 LR devenu inutile dans la poche de son duffle-coat et marcha vers Carol Ansell qui claquait des dents. Il commença par la gifler, puis il la prit dans ses bras et la porta dans un fauteuil. Les autres avaient fait le tour et entraient.

— Igor, dit Hubert, donnez-leur un verre d'alcool.

Volinsky obéit. Lorsqu'elle eut bu quelques gorgées, Carol se détendit et reprit des couleurs. Master Jack vida le verre d'un trait et suivit Igor dans la cuisine pour se laver la figure.

— Que s'est-il passé ? demanda Hubert.

Elle respira un grand coup, la bouche ouverte, lui saisit la main et répondit :

— Master Jack venait de recouvrir le corps de Robina. Je tournais le dos à la porte... Soudain, quelque chose a sauté par-derrière, sur mes épaules, et j'ai vu cette figure horrible tout près... J'ai perdu la tête.

— C'était un des singes du laboratoire ?

— Oui. Je les connais bien pourtant, mais...

— Je comprends, dit Hubert.

Il se retourna. Saker et Barrows n'étaient plus là.

— Où sont-ils ?

— Master Jack et Igor sont dans la cuisine, répondit Carol.

— Ça, je sais.

— David et le lieutenant viennent de sortir. C'est David qui a fait signe au lieutenant de le suivre...

Hubert jura entre ses dents et courut par le couloir jusqu'à la porte principale restée ouverte. Il aperçut alors la lumière d'une lampe qui précédait deux silhouettes en direction du bâtiment administratif. Il s'immobilisa. Igor Volinsky le rejoignit.

— Où vont-ils ?

Hubert ne répondit pas.

— Je suis à peu près certain que la clé se trouve mélangée aux autres dans le bureau de Carol, expliquait David Saker.

Larry Barrows ne répliqua pas. Il ne pouvait détacher son regard de la double colonne de fumée, éclairée à la base par les flammes, qui s'élevait bien droit dans l'air immobile. Ils marchaient vite. Comme s'il avait deviné l'inquiétude du lieutenant, Saker reprit :

— N'ayez pas peur. Quand les réservoirs sauteront, on les entendra, et il nous restera encore au moins dix minutes...

— Si nous n'avons pas retrouvé la clé de l'abri, répliqua le pilote, ces dix minutes nous serviront tout juste à faire notre examen de conscience.

— Vous êtes croyant ? persifla David Saker.

— Oui, pas vous ?

— Si, mais nous ne devons pas croire aux mêmes choses.

Ils entendaient le feu ronfler dans les cheminées. Un instant plus tard, Barrows demanda :

— D'où venait-il, ce singe ?

— C'est un des singes que nous utilisons pour nos expériences. Biedermann a dû les lâcher dans la nature avant de foutre le feu...

En fait, c'était lui, David Saker, qui avait ouvert les cages et chassé les animaux dehors, avant d'allumer l'incendie, et il se demandait maintenant pourquoi il avait fait cela. Peut-être pour se prouver que la vie d'un singe avait plus de prix à ses propres yeux que la vie d'un Biedermann ?

Biedermann !... Jamais David Saker ne se pardonnerait de lui avoir ménagé lui-même une mort si douce. David Saker jura, puis il ricana. Il se demandait ce qu'avait pu penser Biedermann en retrouvant soudain dans ses affaires le cendrier de cristal mystérieusement disparu après le crime. Avait-il seulement soupçonné David ?

— Qu'est-ce que vous dites ? demanda Barrows.

— Rien.

Ils entrèrent dans le bâtiment administratif, David Saker le premier, et continuèrent sans s'arrêter jusqu'au bureau de Carol Ansell.

CHAPITRE

14

Hubert tendit le colt Huntsman à Volinsky et dit :

— Restez ici, je vais voir ce qu'ils fabriquent.

Volinsky saisit le pistolet, avec une visible réticence.

— Vous savez vous en servir ? demanda Hubert.

— Oui, bien sûr.

— N'oubliez pas qu'il ne reste plus que sept balles.

— Pourquoi me dites-vous cela ?

— On ne sait jamais, mon vieux.

Hubert partit aussitôt, ayant éteint sa lampe. Sans être nyctalope, il voyait mieux dans l'obscurité que la plupart des gens et il possédait en outre un sens de l'orientation assez étonnant.

De toute façon, les colonnes de fumée rougeoyante qui s'échappaient des cheminées d'aération du laboratoire souterrain constituaient un point de repère tout à fait remarquable.

Hubert pressa le pas, car il avait l'impression que les événements pouvaient maintenant le gagner de vitesse, puis il se mit à courir, levant haut les jambes pour éviter de trébucher sur les cailloux. Il lui fallut ainsi une demi-minute pour atteindre le bâtiment administratif. Toutes les portes étaient restées ouvertes et il aperçut, droit devant lui, la lumière dans le bureau de Carol.

David Saker savait maintenant qu'il ne lui restait plus qu'une seule issue. La clé de l'abri n'était pas dans le tas de celles qu'il venait d'étaler sur la table. Il regarda Barrows qui semblait de plus en plus effrayé et dit :

— Regardons dans les autres tiroirs.

Barrows ouvrit le premier tiroir de son côté. David Saker fit semblant de ne pouvoir ouvrir le sien. Il tendit la main vers le pilote et dit d'un ton très naturel :

— Passez-moi votre revolver.

Sans méfiance, le lieutenant lui tendit son colt Government de calibre 45[1]. David Saker s'assura qu'une balle se trouvait bien engagée dans le canon, repoussa le cran de sûreté, se redressa et braqua le lourd automatique sur son compagnon.

1. Arme officielle des forces armées des USA.

— Fini de s'amuser, Larry Barrows, mettez les mains sur votre tête et soyez sage.

Le lieutenant regarda David Saker et haussa les épaules.

— Je me demande, répliqua-t-il, comment vous pouvez encore plaisanter dans un moment pareil.

— Je ne plaisante pas ! hurla David Saker. Espèce de crétin !

Le lieutenant fronça les sourcils et leva légèrement les mains, mais il n'était pas encore convaincu.

— C'est moi qui ai foutu le feu, expliqua David Saker, et c'est moi qui ai fauché la tête d'allumeur de votre moulin.

Il tira l'objet de la poche de son duffle-coat et le montra dans la lumière de la torche posée sur la table.

— Vous me croyez, maintenant ?

Larry Barrows tombait de haut. Il se mit à bredouiller :

— Pou... pourquoi avez-vous fait ça ?

— Je vous ferai un dessin, riposta David Saker. En attendant, on va se tirer d'ici, vous et moi, tous les deux, avec votre engin.

— Et les autres ?

— Ils crèveront ici, je m'en fous.

D'un mouvement sec, il montra la porte.

— Allons-y. Nous n'avons pas une minute à perdre... Reprenez votre lampe.

Barrows reprit la torche qu'il avait posée sur la table et passa dans le bureau voisin pour rejoindre le couloir. Ils allaient atteindre la seconde porte lorsque la voix d'Hubert s'éleva derrière eux, claire et nette.

— Les bras en l'air, Saker, et laissez tomber votre arme.

Surprise totale. Saker levait déjà les bras. Mais Barrows, ayant tourné la tête, heurta le tranchant de la porte, cria de douleur et recula vivement alors que la porte, sous le choc, se refermait en claquant.

David Saker attrapa Barrows, qui allait le bousculer, le fit pivoter pour s'en servir comme d'un bouclier et tira. Il n'avait pas l'habitude du 45[1] et la balle se perdit dans le plafond ; mais Hubert ne pouvait riposter sans risquer d'atteindre le lieutenant. Saker doubla, ajustant son tir. Cette fois, la balle fracassa le réservoir du distributeur d'eau fraîche, à cinquante centimètres à droite d'Hubert qui jugea plus prudent de plonger à l'abri du bureau métallique.

Mais Barrows, essayant de se rattraper, bouscula David Saker, l'entraînant dans un mouvement tournant. Le poing armé de Saker heurta

1. Calibre 11 mm.

l'angle du classeur tout proche. Saker lâcha le colt qui tomba bruyamment sur le sol. Hubert se redressa et sauta sur le bureau avec l'intention de plonger vers l'adversaire. Barrows, affolé, saisit une chaise en tubes chromés et voulut la lancer sur Saker qui reculait. Saker se baissa. La chaise passa au-dessus de sa tête et poursuivit son vol à la rencontre d'Hubert qui venait de plonger, et qui se trouvait donc dans l'impossibilité de modifier sa trajectoire.

Un des pieds métalliques de la chaise cueillit Hubert au plexus, au plus mauvais endroit. Hubert s'écroula sur la chaise, avec un bruit d'enfer, et ne bougea plus.

Stupéfait devant le résultat inattendu de son initiative, Larry Barrows perdit un temps précieux. Lorsqu'il reprit conscience de la situation, celle-ci s'était de nouveau modifiée, à son désavantage. David Saker avait repris le 45.

Carol Ansell insista, à demi morte d'inquiétude.

— Je vous assure que c'étaient des coups de feu. Il faut y aller.

Master Jack, dont le visage s'ornait maintenant de bandes de sparadrap rose du plus charmant effet, regarda Igor Volinsky, qui haussa les épaules avant de répondre :

— Ils ont sans doute rencontré les autres singes...

— Il faut y aller, insista Carol en se tordant les mains.

— Ce Bonisseur de la Bath est assez grand pour se tirer d'affaire tout seul, répliqua Volinsky. Et il nous a dit de rester ici.

— C'est vrai, ça, madame, intervint Master Jack. J'ai entendu.

Carol le regarda. Il avait peur et cela se voyait.

— Vous êtes des lâches, dit-elle farouchement. Des lâches.

Elle alla prendre une lampe-camping sur la table de la salle de séjour et courut vers la sortie.

— Où allez-vous ? cria Volinsky.

Elle ne répondit pas. Volinsky cria plus fort :

— Carol ! Restez ici !

Ils avancèrent dans le couloir et la virent s'éloigner à toutes jambes, sa lampe s'agitant de façon désordonnée.

— Elle est folle, gémit Master Jack. Elle est complètement folle. Le patron avait dit de pas bouger d'ici...

— Laisse courir, répliqua Volinsky.

Carol Ansell courait comme si elle avait eu le diable à ses trousses. Elle ne raisonnait pas.

Elle n'imaginait pas qu'un danger quelconque pût l'attendre au bout du chemin. C'était un élan purement instinctif qui la poussait vers un homme, vers Hubert.

Elle croisa sans les voir Larry Barrows et David Saker qui marchaient tous feux éteints, en direction de l'hélicoptère. Elle pénétra comme une folle dans le bâtiment.

— Hubert ! appela-t-elle. Hubert ! Où êtes-vous ?

Elle parcourut toute la longueur du couloir et entra dans le bureau directorial, lampe haut levée.

— Mon Dieu !

Elle venait d'apercevoir Hubert effondré sur la chaise, inerte, sans connaissance. Elle courut à lui, s'accroupit, posa la lampe sur le sol.

— Il est mort, dit-elle tout haut.

Carol Ansell lui tâta le pouls, lui examina le blanc de l'œil et pensa qu'il pouvait s'agir plus simplement d'une syncope. Elle possédait quelques connaissances médicales et savait ce qu'il fallait faire. Elle écarta Hubert de la chaise et l'allongea sur le dos à plat sur le plancher. Puis elle s'agenouilla à cheval sur lui, le saisit par les poignets et commença de pratiquer la respiration artificielle...

Brusquement, il lui sembla que le sol se soulevait. Des objets se heurtèrent et tombèrent sur le bureau. Puis l'onde sonore arriva, terrifiante. Carol Ansell eut l'impression que ses tympans éclataient et elle s'abattit, épouvantée, enfouissant sa tête dans le creux de l'épaule d'Hubert, comme s'il avait encore pu la protéger.

Les réservoirs de gaz venaient d'exploser.

Igor Volinsky regarda Master Jack qui était devenu gris.

— Cette fois, les carottes sont cuites, dit-il.

Il aurait aimé faire bonne contenance devant le Noir, mais sa voix s'était brisée sur les dernières syllabes et un grand froid l'envahissait. Master Jack ouvrit la bouche pour parler, mais aucun son ne sortit de sa gorge nouée. Igor Volinsky consulta sa montre.

— Chacun pour soi et Dieu pour tous, décréta-t-il. Nous allons gagner le bord de la cuvette. Les autres nous rejoindront.

Ils prirent chacun une lampe, sortirent et partirent à droite sans remarquer la lumière qui s'agitait sur l'hélicoptère. Ils avaient parcouru environ trois cents mètres et s'élevaient déjà vers la crête qui ceinturait le plateau rocheux lorsqu'un bruit singulier, parfaitement inattendu, attira leur attention.

Ils s'immobilisèrent en même temps et regardèrent en arrière. L'air était limpide et ils distinguèrent sans peine la cabine éclairée du Sikorsky, dont les pales commençaient de tourner.

— Il démarre ! hurla Master Jack.

La seconde suivante, il prit ses jambes à son cou, avec une telle vélocité que Volinsky partit sur ses traces avec un handicap de vingt mètres.

Ni l'un ni l'autre ne pensèrent que l'hélicoptère ne pouvait décoller immédiatement, son moteur étant froid. Ils couraient comme des hommes peuvent courir avec la mort à leurs trousses et la vie devant eux. Ils y mettaient toutes les forces dont ils pouvaient disposer, au risque de craquer avant l'arrivée.

Assis près de Barrows dans la cabine de pilotage, David Saker les vit arriver car ils gardaient leurs lampes allumées.

— Allez-y ! ordonna-t-il.

Larry Barrows regarda la gueule sombre du 45 braqué sur lui.

— Ce n'est pas possible, répliqua-t-il. Il faut attendre que l'huile du moteur soit assez chaude. Sinon, nous risquons de retomber et de tout casser.

David Saker jura. Puis il ouvrit la vitre de son côté et surveilla l'approche des deux lampes qui s'agitaient de façon désordonnée. Lorsqu'elles furent assez près, il visa nettement en dessous de la gauche et tira en maintenant son poignet avec sa main libre. Barrows avait serré les dents et lâché les commandes pour se boucher les oreilles. La douille éjectée rebondit sur le tableau de bord et vint frapper le pilote au genou.

Les lampes s'étaient immobilisées. David Saker visa de nouveau avec soin, serrant son poignet avec force pour l'empêcher de sauter sous l'effet du recul. Il pressa la détente. Un coup de tonnerre dans la cabine. La douille ricocha sur le pare-brise et roula entre les deux hommes. Cela sentait la poudre et David Saker se mit à tousser.

Ce fut le moment que choisit Larry Barrows pour tenter sa chance. Il se jeta sur son adversaire afin de le coincer contre la portière et voulut reprendre son arme. Mais Saker devait avoir prévu l'attaque et sa riposte était prête. D'un terrible coup de tête en pleine figure, il fit lâcher prise au pilote dont le nez écrasé se mit à pisser le sang.

— Si vous recommencez, menaça le chimiste d'une voix tremblante, je vous tue.

À plat ventre dans les cailloux, complètement hébétés, Igor Volinsky et Master Jack hurlaient de concert :

— C'est nous !... Ne tirez pas !

Le bruit du moteur qui chauffait couvrait largement leurs voix, mais ils n'y pensaient pas. Il fallut même que David Saker leur tirât une troisième fois dessus et que la balle ricochât entre eux pour que Volinsky eût l'idée d'éteindre les lampes.

— Ils sont fous ! hurla-t-il à l'intention de Master Jack. Pourquoi font-ils ça ?

Ils étaient persuadés que tous les autres se trouvaient dans le Sikorsky et qu'ils étaient les seuls condamnés à rester.

Une lampe-torche s'alluma dans la cabine et le long faisceau lumineux plongea dans leur direction. Volinsky commençait à récupérer et l'instinct de conservation le poussait à la riposte. Il braqua le 22 LR bien appuyé sur son avant-bras gauche et visa la source de lumière...

La balle du 22 traversa le pare-brise, passa entre les deux hommes, ricocha sur la tôle du toit à gauche de l'arbre du rotor et ressortit par la lunette arrière. Barrows cria :

— Éteignez ça ! Vous allez nous faire tuer !

Effrayé, Saker obéit et se remit à tirer rageusement vers l'adversaire qu'il ne voyait plus : Bang !... Bang !... Clic !... Clic !... L'arme était vide. Un frisson glacé secoua David Saker. Il tourna la tête vers le pilote, mais celui-ci s'étant bouché les oreilles n'avait pas entendu les déclics à vide. Saker respira profondément.

— Allez-y, maintenant, ordonna-t-il.

Barrows montra le thermomètre d'huile parmi les instruments du tableau de bord éclairés de l'intérieur par une lumière verdâtre.

— Pas encore assez chaud, répliqua-t-il.

— Allez-y ! hurla David Saker.

Le lieutenant s'empara des commandes et mit progressivement les gaz, surveillant le compte-tours ; mais l'huile n'était vraiment pas assez chaude et le moteur ne pouvait donner toute la puissance nécessaire au décollage. Il y eut des ratés, des crachotements, des pétarades, encore des ratés. Barrows voulut réduire les gaz, croyant que Saker était convaincu ; mais celui-ci lui enfonça brutalement le canon du 45 dans les côtes et hurla de nouveau :

— Je vous dis d'y aller !

Le lourd appareil se souleva péniblement de l'arrière et glissa vers l'avant sur une vingtaine de mètres avant de retomber. Ce fut ainsi que Volinsky et Master Jack se trouvèrent soudain à quelques pas de la porte du compartiment inférieur. Ils foncèrent, courbant l'échine sous le souffle puissant du rotor. Volinsky fit glisser le panneau et plongea. Master Jack suivit et arriva cul par-dessus tête. Au-dessus, Larry Barrows, qui connaissait son appareil, sut qu'il venait d'embarquer des passagers ; mais Saker ne s'aperçut de rien. Le Sikorsky se remit à glisser vers la gauche, puis décolla, le moteur ayant finalement accepté de tourner rond.

Hubert ouvrit enfin les yeux. Carol lui bassinait les tempes avec son mouchoir trempé dans l'eau du distributeur répandue sur le sol.

— M'entendez-vous ? demanda-t-elle.

Il répondit en abaissant les paupières de façon affirmative.

— Les réservoirs ont sauté, annonça-t-elle. Cela fait plus de trois minutes. Il faut nous éloigner d'ici très vite.

D'un second mouvement de paupières, il signifia qu'il avait compris. Elle se leva et alla chercher la bouteille de bourbon dans le classeur. Elle revint près d'Hubert, lui souleva la tête et le fit boire. L'alcool produisit un effet spectaculaire. Il put enfin bouger et se masser lui-même les globes oculaires et le plexus selon la technique *kuatsu* de réanimation. Vingt secondes plus tard, il était debout et capable de marcher. Carol ramassa le colt 38 sous la chaise, mit la torche dans la main d'Hubert, prit celui-ci par le bras et l'entraîna...

— L'hélicoptère ! cria-t-elle soudain. Le moteur tourne !

Elle aurait dû l'entendre depuis longtemps,

mais son esprit avait été entièrement absorbé par la nécessité de tirer Hubert de sa syncope. Ils débouchèrent à l'air libre, juste à temps pour voir le Sikorsky, projecteur ventral allumé, prendre de l'altitude et s'éloigner vers l'ouest.

Carol Ansell s'était immobilisée, pétrifiée. Puis elle se mit à trembler et murmura :

— Mon Dieu ! Ils nous ont laissés là. Ils ont fait ça...

Ses genoux fléchirent et ce fut Hubert qui dut cette fois la soutenir. Il essaya de parler, mais ne put y parvenir. Il était encore obligé de respirer à petits coups rapides. Il regarda les orifices des bouches d'aération du laboratoire. Il n'en sortait plus maintenant que deux minces filets de fumée blanche qui s'élevaient avec lenteur. L'explosion avait dû souffler l'incendie, mais les gaz mortels n'allaient plus tarder à faire surface...

Hubert repartit. Il marchait comme un automate, tirant derrière lui Carol Ansell qui pleurait nerveusement. L'hélicoptère n'était plus qu'une petite lumière lointaine qui allait bientôt disparaître et le bruit du moteur décroissait dans le même temps.

Hubert se dirigeait vers le bâtiment d'habitation que signalait une lampe restée dans la salle de séjour. Carol Ansell trébuchait derrière lui, aveuglée par les larmes. Il serrait les dents, pas certain de pouvoir arriver jusqu'au bout, mobilisant toute sa volonté au service de ce seul impératif : marcher, marcher, marcher...

Ils atteignirent le bâtiment et Hubert le contourna vers la gauche. Carol Ansell se laissait traîner, sans même savoir où ils allaient. Elle avait abandonné tout espoir.

Elle ne réagit que lorsqu'il voulut la faire entrer dans la construction de ciment qui protégeait l'accès de l'escalier conduisant à l'abri.

— Vous êtes fou, protesta-t-elle en résistant. Il faut gagner les crêtes.

Il secoua négativement la tête, s'adossa au mur, à bout de forces, tendit la lampe à Carol qui la prit sans comprendre et ouvrit son blouson de toile. Ses doigts à demi paralysés cherchèrent la petite poche à tickets sous la ceinture de son pantalon, mais le holster le gênait, il n'y arrivait pas. Par gestes, il invita Carol à fouiller dans cette poche et lui reprit la lampe et le colt 38. Elle enfonça ses doigts dans la poche et en ressortit une clé plate qu'elle reconnut aussitôt.

— La clé de l'abri ?

Il fit oui de la tête. Elle lui reprit la lampe et dégringola les marches. Il suivit plus lentement, prenant appui contre le mur. Lorsqu'il la rejoignit, elle avait déjà ouvert la porte et allumé. Il franchit le seuil, marcha jusqu'au fauteuil le plus proche dans lequel il se laissa tomber et regarda Carol refermer la porte et bloquer les verrous d'étanchéité.

Ils étaient sauvés. Elle s'appuya des épaules à cette porte qui les séparait maintenant de la mort. Elle était d'une pâleur mortelle et tremblait de la tête aux pieds. Il devina que la réaction nerveuse allait se faire et il ne se trompait pas. Elle éclata brusquement en sanglots et s'écroula sur place.

Elle pleura longtemps, puis elle finit par se calmer et resta un long moment encore immobile, prostrée. Hubert, qui avait pris une position de relaxation se massait lui-même aux endroits névralgiques. Progressivement, sa respiration s'amplifiait et devenait plus libre, la douleur s'estompait...

Carol se releva, évitant de regarder Hubert, et gagna, dans le fond de la salle, la porte qui conduisait à la salle d'eau. Elle revint cinq minutes plus tard, débarrassée de son duffle-coat. Elle s'était débarbouillée, légèrement remaquillée et repeignée. Hubert lui sourit.

— Je vous préfère comme ça, dit-il à voix très basse.

— Excusez-moi, répondit-elle, je vous ai donné un spectacle peu agréable...

— C'est sans importance. Je regrette seulement de n'avoir pu vous aider.

— Comment vous sentez-vous ?

— Beaucoup mieux. Mais je boirais bien encore quelque chose de raide...

Elle se dirigea vers le bar et versa du bourbon dans deux verres. Elle revint, donna un verre à Hubert et demanda :

— Où était la clé ?

Il but une gorgée et répondit d'un ton détaché :

— Dans ma poche.

— Ne plaisantez pas. Où l'avez-vous retrouvée ?

— Dans ma poche.

Il leva les yeux et vit ceux de la jeune femme s'agrandir :

— Voulez-vous dire que...

— Oui, je veux dire que...

— Mais c'est monstrueux ! s'indigna-t-elle. Et cela n'a servi à rien !

— Si, rectifia-t-il. David Saker s'est démasqué. C'était lui, l'espion. Je le tenais, mais Barrows a joué les éléphants dans la porcelaine...

Il vida son verre et se leva, sans trop de peine.

— Il faut maintenant alerter Hot Springs afin qu'ils cherchent l'hélicoptère sur leurs radars et qu'ils le suivent... J'espère que cet émetteur fonctionne.

— Il n'y a pas de raison.

Il s'installa devant l'appareil. Carol dit d'une voix chargée de rancune :

— Jamais je ne vous pardonnerai cette histoire de clé.

— Mais si, répliqua-t-il. Je ne pouvais pas vous mettre au courant...

— J'étais suspecte ?

Il ne voulut pas la blesser davantage.

— Non, mais vous n'auriez sûrement pas pu jouer la comédie si vous aviez su. Les autres s'en seraient aperçus... Il fallait que l'espion s'affole jusqu'à contraindre le pilote à l'emmener. C'est ce qui est arrivé.

Il avait mis le contact et laissait chauffer les lampes. Carol s'exclama soudain :

— Mais les autres ? Igor ? Master Jack ? Que sont-ils devenus ?

— Je n'en sais rien, répondit Hubert. J'espère qu'ils s'en tireront.

— Seigneur ! Je pensais qu'ils étaient dans l'hélicoptère.

— Nous ne pouvons plus rien pour eux, reprit Hubert. Si nous sortions maintenant, cela équivaudrait à un suicide, et notre mort ne les sauverait pas.

— C'est atroce.

— Oui. Donnez-moi les indicatifs d'appel...

— Daim Rouge à Renard Bleu.

Il attira le micro et commença :

— Daim Rouge appelle Renard Bleu... Daim Rouge appelle Renard Bleu...

— Renard Bleu vous entend, Daim Rouge...

Le contact s'établit presque immédiatement.

— Renard Bleu vous entend, Daim Rouge... Je vous entends quatre sur cinq... Que s'est-il passé ?... Pourquoi ne répondiez-vous plus ? Répondez, Daim Rouge.

— Nous avons eu quelques ennuis, reprit Hubert. Le laboratoire a sauté et nous sommes deux dans l'abri : Carol Ansell et moi, Bonisseur de la Bath. David Saker a contraint Barrows à l'emmener dans l'hélicoptère. Je vous demande d'alerter immédiatement tous les radars de la région pour retrouver le Sikorsky et le suivre jusqu'à ce qu'il atterrisse. Il faudrait s'assurer de la personne de David Saker et le remettre au FBI. Je leur expliquerai les charges qui pèsent sur lui. À vous, Renard Bleu.

— Le FBI est justement entré en rapport avec nous. Ils ont arrêté un type d'ici qui transportait des documents en provenance de Deer Castle. Ils disent que Bryan Dunn a été tué par Karl Biedermann, mais que Biedermann n'est pas le responsable des fuites, qu'il s'agit de quelqu'un d'autre qu'ils n'ont pu encore identifier... À vous, Daim Rouge.

— Eh bien, dites-leur que ce quelqu'un d'autre est David Saker.

— Je peux parler, Daim Rouge ?

— Allez-y.

— Je vais interrompre pour alerter les stations radar. Avez-vous autre chose à me communiquer ?

— Non. Tout va bien. Ne vous pressez pas trop pour venir nous chercher. Assurez-vous bien auparavant qu'il ne reste aucune trace de gaz dans la cuvette. Nous avons tout ce qu'il nous faut, et Carol et moi nous entendrons sûrement fort bien... Terminé.

— Bonne chance, Daim Rouge. Tenez-nous au courant. Terminé.

Hubert coupa le contact et se retourna vers Carol.

— Êtes-vous sûr que nous allons bien nous entendre ? demanda-t-elle.

— Absolument.

Il se leva et marcha vers elle.

— N'espérez pas profiter de la situation, dit-elle en reculant. Ne l'espérez surtout pas.

Il sourit et continua d'avancer. Elle s'arrêta, le dos au mur, et fit une tentative pour créer une diversion.

— J'aimerais bien savoir à quel moment vous vous êtes mis à soupçonner David, dit-elle précipitamment.

Il la saisit aux épaules.

— Vous êtes bien jolie, assura-t-il. Exactement mon type.

— Je vous ai posé une question.

— Après avoir fouillé Biedermann qu'il venait de tuer. Tous les objets personnels de Biedermann étaient en vrac dans les poches de son duffle-coat, ce qui n'était pas naturel. D'autre part, Biedermann n'avait pas les mains abîmées comme cela aurait dû être le cas s'il avait vraiment fait un plongeon dans l'escalier ; en revanche, les talons de ses chaussures étaient sérieusement râpés. J'en ai conclu que Saker l'avait assommé en haut de l'escalier, puis qu'il l'avait descendu en le tenant sous les bras et en le tirant, pour le fouiller en bas... Ajoutez à cela que Robina a été abattue à l'instant où elle se disposait à nous dire quelque chose concernant vraisemblablement ce même Saker...

Il lui prit le visage dans ses mains et l'obligea à lever la tête vers lui.

— Êtes-vous satisfaite ?

Elle ne répondit pas. Le sang lui était monté aux joues et ses seins soulevaient son corsage à un rythme accéléré.

— Carol, reprit Hubert, j'ai envie de vous.

Elle laissa échapper un long soupir, ferma les yeux et répondit dans un souffle :

— Moi aussi, j'ai envie de vous...

ÉPILOGUE

Ils dormaient sur le même lit, étroitement enlacés, aussi nus l'un que l'autre. Carol ouvrit soudain les yeux et tendit l'oreille.

— La radio, dit-elle en secouant Hubert. C'est le signal d'appel...

Hubert grogna, mais ne bougea pas. Elle le secoua de nouveau, puis lui mordit l'oreille. Il fit un bond et se réveilla enfin, furieux.

— Tu es folle ? s'inquiéta-t-il. Tu as respiré du gaz ?

— Écoute ! répliqua-t-elle. Ils appellent à la radio.

Il écouta, puis se leva en bâillant et marcha vers la salle de séjour. Il s'assit devant le poste, donna de la puissance et dit d'une voix empâtée :

— Daim Rouge vous écoute...

— Renard Bleu à Daim Rouge. Vous m'entendez ?

— Je vous entends trois sur cinq, Renard Bleu, parlez plus fort.

— Ici l'officier de sécurité de la base de Hot Springs. Donnez-moi de vos nouvelles. Allez-y.

— Tout va bien, mon vieux. Vous nous avez réveillés...

— À cette heure-ci ?

Hubert avait laissé sa montre dans le dortoir.

— Quelle heure est-il donc ?

— Quatre heures de l'après-midi, Daim Rouge.

— Il n'y a pas d'heure pour les braves. Maintenant, à vous de donner des nouvelles. Je vous écoute.

— L'hélicoptère s'est posé un peu après minuit au sud de Modesto, en Californie, presque à bout d'essence. Barrows s'est aperçu alors que David Saker ne disposait plus d'aucune balle dans le colt qu'il lui avait pris. Avec l'aide de Volinsky et de Master Jack...

— Hé là ! cria Hubert. Vous avez bien dit Volinsky et Master Jack ?

— Oui, ils avaient pu embarquer au dernier moment dans la soute. Ils ont capturé Saker et l'ont conduit au poste de police de Modesto, où les G.men sont venus les chercher. On vient de m'appeler de San Francisco. Il a tout avoué. Il travaillait pour un réseau polonais dirigé par un type du nom de Frank Kinschler, tout simplement parce que ce Frank Kinschler lui avait assuré que le plus cher désir des Polonais était de faire passer tous les nazis dans des chambres à gaz. Vous savez que les parents de David Saker sont morts comme ça pendant la guerre et il en avait éprouvé un choc dont il ne s'est jamais remis. Les G.men vont le confier aux psychiatres et il est bien possible qu'il ne soit pas jugé, mais seulement interné dans une maison de fous. D'autres questions à poser ?

— Oui. Je voudrais bien savoir pourquoi Biedermann a tué Bryan Dunn.

— D'après ce qu'on en sait, on peut croire que Biedermann a voulu jouer un mauvais tour à Dunn qu'il méprisait et dont il voulait prendre la place. Il a voulu profiter de ce que la clé était restée sur le coffre pour s'emparer d'un rapport important et le cacher. Il espérait sans doute que Dunn aurait de graves ennuis et qu'il serait relevé de ses fonctions... Mais Dunn a surpris Biedermann et, vous connaissez la suite...

— Bon, dit Hubert, nous en reparlerons...

— La météo annonce un peu de vent pour demain, mais ce n'est pas sûr. De toute façon, demain matin, nous enverrons un appareil faire des prélèvements d'air dans la cuvette pour analyse... Je sais que c'est long, mon vieux, mais nous ne pouvons pas aller plus vite. Si seulement le vent se levait...